Les savants qui accompagnent l'armée de Bonaparte
réagissent immédiatement :
cette Pierre de Rosette, dont les trois écritures
correspondent visiblement à trois versions d'un même texte,
doit leur donner la clef de l'écriture hiéroglyphique.

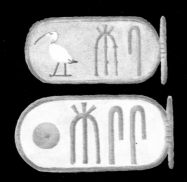

PTOLMYS

PTOLEMAIOS

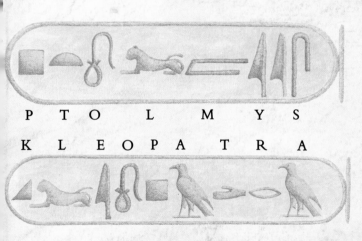

P T O L M Y S

K L E O P A T R A

La fièvre monte chez les spécialistes de langues orientales.
Il semble évident que le texte grec, qui reproduit un décret du roi
Ptolémée V, est bien la traduction des deux autres.
Le nom de ce pharaon doit se retrouver dans la version
hiéroglyphique, entouré d'un cartouche, comme c'est la coutume
pour signaler un nom royal. A partir du grec Ptolemaios,
Champollion identifie la forme hiéroglyphique en huit symboles.
En 1822, sur l'obélisque de Philae, il retrouve le cartouche de
Ptolémée, accompagné de celui de Cléopâtre. En les comparant,
il découvre la valeur phonétique de quatre signes, et parvient
à attribuer aux autres une valeur alphabétique.

En comptant le nombre de hiéroglyphes (1419) et de mots dans le texte grec (486), Champollion se rend compte qu'il ne peut s'agir d'une écriture purement idéographique, dans laquelle un signe représente un mot, mais d'une écriture à la

â	ou	b
n	r	h
z	s	ḳ
th	d	dj

fois idéographique et phonétique, dans laquelle certains signes se lisent, d'autres pas. Une phrase type le démontre ; seuls les signes accompagnés d'un point se lisent : « Il dit : celui qui est venu en paix et qui a traversé le ciel : c'est Rê ».

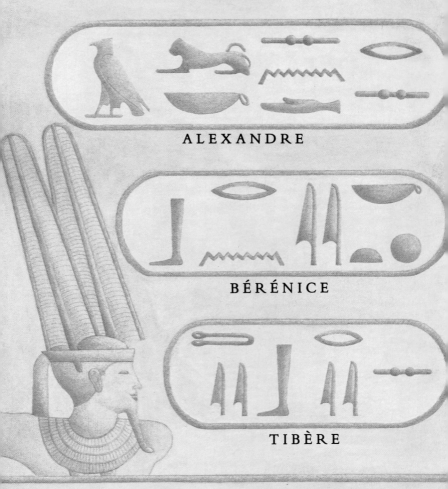

ALEXANDRE

BÉRÉNICE

TIBÈRE

A partir des douze caractères hiéroglyphiques qu'il a identifiés dans les cartouches de Ptolémée et Cléopâtre, Champollion s'entraîne à déchiffrer tous les cartouches dont il possède des copies, tant à partir de la Pierre de Rosette que d'autres monuments. Travaillant sur quatre-vingts noms, il déchiffre successivement ceux d'Alexandre, Bérénice, Tibère, Néron, Vespasien et Trajan.

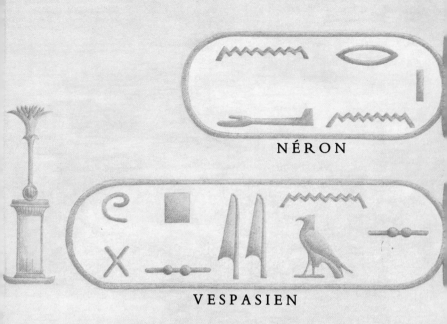

NÉRON

VESPASIEN

TRAJAN

Sa méthode est la bonne. En ce jour du 27 septembre 1822, Champollion peut adresser à l'Académie des Inscriptions et des Belles-Lettres un texte annonçant sa découverte : c'est la *Lettre à Dacier, relative à l'alphabet des hiéroglyphes phonétiques employés par les Égyptiens, pour inscrire sur les monuments les noms et surnoms des souverains grecs et romains.* Pour tous les savants d'aujourd'hui, elle constitue l'acte de naissance de l'Égyptologie.

THOUTMOSIS

Désormais, Champollion ne pense qu'à déchiffrer toujours plus de noms. Il lui faut surtout s'assurer que l'alphabet ainsi retrouvé s'applique aussi à tous les textes pharaoniques. Sur d'autres copies de textes envoyées d'Égypte, il lit les noms de Thoutmosis et de Ramsès. Il n'y a plus de mystère des hiéroglyphes. Quelques années plus tard, il va réaliser le rêve de sa vie, s'embarquer pour l'Égypte et lire, sur place, tous ces textes qui, depuis des siècles, intriguaient les

RAMSÈS

Européens. A Deir el Bahari, un relief peint montre un pharaon offrant un sacrifice ; au-dessus de son bras se trouve le cartouche de son nom : c'est Thoutmosis III, vers 1450 avant notre ère. A Thèbes, une peinture de la tombe d'un jeune prince représente un roi en costume d'apparat. Au-dessus de lui, le cartouche de son nom, Ramsès. Il s'agit du roi Ramsès III, père du prince Amonherkheperchef, enterré là vers 1150.

Jean Vercoutter aurait pu être peintre... Mais il a préféré être archéologue... Nommé en 1939 pensionnaire à l'«école du Caire» (l'Institut français d'archéologie orientale), il n'y arrive qu'en 1945, pour cause de Seconde Guerre mondiale.
Il participe aux fouilles de Karnak, puis travaille sur différents sites du Soudan, alors inexplorés. En 1955, les Égyptiens préparent le barrage d'Assouan. Il faut au plus vite organiser le sauvetage des monuments. Directeur de l'«Antiquities Service» de Khartoum, Jean Vercoutter estime à 300 le nombre de sites menacés. Grâce à une extraordinaire coopération internationale, la plupart seront sauvés.
Directeur de l'institut de papyrologie de Lille dans les années 1960, Jean Vercoutter est nommé, en 1976, professeur à l'université et directeur de l'Institut du Caire. Le 11 mai 1984, il est élu à l'Institut de France, à l'Académie des inscriptions et belles-lettres.

Responsable de la rédaction
Elizabeth de Farcy
Maquette Raymond Stoffel
Iconographie Anne Lemaire
Illustration
Dominique Thibault
Lecture - correction
Dominique Froelich,
Dominique Guillaumin,
Alexandre Coda

Coordination
Elizabeth de Farcy

Pour Victor, Akira et Thomas

ISBN 2-07-053028-0
1er dépôt légal: Octobre 1986

Dépôt légal Octobre 1993
Numéro d'edition: 67218
Imprimé en Italie

Composition Sophotyp, Paris
Photogravure Di Gamma, Paris
Impression Editoriale Libraria, Trieste
Reliure Zanardi, Padoue

A LA RECHERCHE DE L'ÉGYPTE OUBLIÉE

Jean Vercoutter

DECOUVERTES GALLIMARD
ARCHÉOLOGIE

Au IVe siècle après J.-C., la religion chrétienne est devenue prépondérante dans l'empire romain de Byzance. En 391, l'empereur Théodose Ier décrète la fermeture de tous les temples païens de l'Empire. En Égypte, les fidèles des vieux dieux et déesses du pays étaient probablement peu nombreux, mais la fermeture des temples a une autre conséquence, inattendue : l'écriture hiéroglyphique, encore vivante jusqu'à cette époque, cesse brusquement d'être comprise.

CHAPITRE PREMIER
LA DISPARITION DE L'ÉGYPTE DES PHARAONS

Alexandre conquiert l'Égypte en 330 av. J.-C. et y fonde Alexandrie. A sa mort, en 323, Ptolémée Ier y ramène son corps et construit un tombeau que l'on recherche encore.

En effet, les prêtres assurent non seulement le culte quotidien, mais aussi l'enseignement de la langue et des écritures indispensables à sa célébration. Or, ces prêtres sont dispersés ; ils disparaissent les uns après les autres, et personne en Égypte ne sait lire les textes gravés sur les monuments encore debout, ou écrits sur les papyrus conservés dans les bibliothèques.

Dans les flammes de la bibliothèque d'Alexandrie, l'histoire de l'Égypte a disparu

La décision de Théodose est d'autant plus grave que lors de la prise d'Alexandrie par Jules César, en 47 av. J.-C., la bibliothèque d'Alexandrie a brûlé. Or, celle-ci, riche dit-on de sept cent mille volumes, possédait de nombreux ouvrages relatifs à l'Égypte des pharaons et, entre autres, l'*Histoire de l'Égypte* en trente volumes que Manéthon, un prêtre égyptien, avait écrite en grec à la demande

En 48 av. J.-C., la guerre civile entre Pompée et César est à son apogée. Battu à Pharsale, Pompée se réfugie en Égypte, mais, dans la barque qui l'emmène à Alexandrie, il est assassiné sur les ordres de Ptolémée XII, qui espère ainsi se faire de César un allié dans le conflit qui l'oppose à sa sœur Cléopâtre. Ce geste n'empêche pas César d'occuper le palais royal où il convoque le frère et la sœur.

de Ptolémée Iᵉʳ. Manéthon pouvait consulter, dans les bibliothèques et les archives des temples, les textes égyptiens relatant les événements du passé et les traduire ensuite en grec. Par ailleurs, son ouvrage ne retraçait pas seulement les événements depuis la plus haute Antiquité, il décrivait aussi les coutumes des habitants et leur religion; il traduisait en grec des textes authentiques.

La perte de l'*Histoire de l'Égypte* de Manéthon est des plus malheureuses. En effet, avant l'invention de l'imprimerie, les livres n'existaient qu'en un seul exemplaire, ensuite recopié à la main. Certes, toute grande bibliothèque, comme celle d'Alexandrie, possédait des doubles des ouvrages originaux, et en l'occurrence ceux-ci étaient conservés dans la bibliothèque du temple de Sérapis, à Alexandrie même; par malheur, ce temple fut non seulement fermé, mais détruit et brûlé en 391, de sorte que les ouvrages qui avaient échappé au désastre de 47 av. J.-C. disparurent à leur tour.

Vers 450 environ de notre ère, non seulement plus personne ne lit ni ne comprend les textes de l'Égypte ancienne, mais encore tout ce que les Égyptiens eux-mêmes ont écrit en grec pour faire connaître leur pays aux étrangers qui l'occupaient, tout, a disparu.

A la mort d'Alexandre, Ptolémée Iᵉʳ introduit la monnaie d'or, d'argent et de bronze, inconnue des pharaons égyptiens.

Craignant d'être assassinée en traversant Alexandrie occupée par l'armée de son frère, Cléopâtre se fait transporter en bateau au palais, dissimulée dans un tapis. Amusé par ce stratagème, César prend son parti contre Ptolémée. Alexandrie se soulève. Redoutant que la flotte ne se soulève à son tour, César la fait incendier. Le feu gagne la ville, et la bibliothèque disparaît dans les flammes. Il n'est resté aucun vestige de ce qui fut un centre intellectuel rayonnant, un institut de recherche légendaire. Beaucoup plus tard, des peintres romantiques chercheront à en retrouver le souvenir, tel Luigi Mayer, qui, en 1804, a dressé cette vue imaginaire des ruines de la bibliothèque d'Alexandrie.

Un prêtre, vêtu d'une tunique de lin blanc, sort du temple. A ses côtés, deux autres célébrants agitent un sistre, instrument qui rythme chants et danses rituels. Il s'agit d'une scène du culte d'Isis, célébré à Herculanum, au Ier siècle de notre ère. Isis, sœur d'Osiris, le dieu des morts, est la déesse la plus populaire d'Égypte. Magicienne puissante, elle est adorée dans un grand nombre de temples, dont le plus célèbre est Philae. Avec les Grecs et les Romains, son culte se propage hors de la vallée du Nil, non seulement en Italie, mais aussi en Gaule où l'on a trouvé dans plusieurs sanctuaires des objets égyptiens prouvant qu'ils étaient consacrés à la déesse.

Malgré la fermeture des temples et le double incendie d'Alexandrie, tout n'est cependant pas perdu de l'Égypte des pharaons

Les auteurs classiques, grecs et latins, se sont intéressés à l'Égypte, et leurs ouvrages ont été conservés à Rome comme à Byzance. Par ailleurs, l'histoire des Hébreux, à partir du deuxième millénaire av. J.-C., a été souvent liée à celle de l'Égypte, de sorte que plusieurs livres de l'Ancien Testament, tels *la Genèse, l'Exode* ou d'autres encore, gardent des lambeaux de l'histoire politique de l'Égypte, en même temps qu'ils font allusion aux mœurs des Égyptiens. D'autre part, pour prouver l'authenticité de l'Ancien Testament d'où est sortie la religion chrétienne, les Pères de l'Église primitive, qui avaient beaucoup lu Manéthon, citent fréquemment des passages de son œuvre dans leurs propres ouvrages. C'est ainsi, notamment, qu'ils nous ont transmis la division de l'histoire de l'Égypte en trente dynasties, division adoptée par les égyptologues modernes.

Enfin, la tradition classique grecque et romaine a souvent évoqué la religion égyptienne qui paraissait

Après avoir vu s'abattre les fléaux sur son pays, le pharaon accorde à Moïse et aux esclaves hébreux la liberté d'aller célébrer la Pâque dans le désert. Bien vite, il se ravise et les fait poursuivre jusqu'aux bords de la mer Rouge; là, les eaux s'entrouvrent pour permettre le passage des Hébreux, puis se referment, engloutissant l'armée égyptienne. Cet épisode est relaté dans *l'Exode* XIV et XV.

étrange et, par conséquent, attirante. Le culte d'Isis s'était largement répandu dans l'Empire romain, en Gaule notamment, ainsi que ceux d'Osiris et d'Anubis, sauvant de l'oubli les rites, souvent magiques, de la religion pharaonique.

C'est grâce au gros ouvrage de Plutarque (vers 100 de notre ère), *A propos d'Isis et d'Osiris (De Iside et Osiride),* que la légende d'Osiris est mieux connue, car les textes égyptiens authentiques s'en tiennent généralement à des allusions.

Obélisque, mot d'origine grecque, signifie «épieu», «petite broche». Les obélisques étaient des symboles solaires dressés de part et d'autre de l'entrée des temples.

Ainsi, à travers la Bible surtout, beaucoup d'épisodes plus ou moins légendaires, qui ont trait à l'Égypte, se sont transmis jusqu'à nous. La traversée de la mer Rouge par les Hébreux poursuivis par l'armée de Pharaon, Joseph vendu par ses frères, Joseph à la cour de Pharaon, Moïse bébé abandonné dans une corbeille sur le Nil et adopté par la fille de Pharaon, tous ces récits ont contribué à maintenir vivant le souvenir de l'Égypte durant le Moyen Âge et la Renaissance.

De leur côté, les nombreux monuments enlevés à l'Égypte par les empereurs pour embellir Rome et Byzance n'ont jamais cessé d'intriguer les esprits par l'étrangeté de leurs textes. C'est à partir des obélisques apportés à Rome et dressés sur différentes places de la ville comme la Piazza del Popolo ou la Piazza della Minerva que le R.P. Athanase Kircher cherchera, au début du XVIIᵉ siècle, à déceler la clef de l'écriture hiéroglyphique.

Toutefois, ce sont surtout les récits des voyageurs qui, en maintenant la curiosité suscitée par le mystère de l'Égypte, auront une influence décisive sur la naissance de l'égyptologie.

Les habitants des côtes de la Palestine et de la Syrie ont été les premiers visiteurs de l'Égypte. De belles peintures égyptiennes nous donnent des représentations de ces voyageurs, mais ceux-ci, en revanche, ne nous ont pas laissé de textes sur ce qu'ils avaient vu ou appris en Égypte. Il faut attendre ces infatigables curieux que sont les anciens Grecs pour recueillir des récits de voyages dans la vallée du Nil.

CHAPITRE II
LES VOYAGEURS
DE L'ANTIQUITÉ

Chaque dieu est présent sur terre sous la forme d'un animal sacré : un faucon pour Horus, une vache pour Hathor, une chatte pour Bastet. L'animal est gardé dans le temple même. Mort, on le momifie et on l'enterre dans un cimetière particulier. Cet aspect de la religion égyptienne va fasciner tous les visiteurs étrangers.

Dans *l'Odyssée,* Homère a décrit un raid de pirates grecs dans le Delta, raid qui tourna mal pour eux puisque, après avoir tué les hommes et rassemblé femmes et enfants pour les emmener en esclavage, ils furent cernés par les Égyptiens et, à leur tour, massacrés ou faits prisonniers ; Ulysse était du nombre.

Après les pirates, voici des mercenaires et de paisibles commerçants ; dans leurs luttes contre les Assyriens d'abord, puis contre les Perses, les pharaons de la XXVIe dynastie recrutent des mercenaires originaires, pour la plupart, des colonies grecques d'Asie, des Ioniens notamment. A cette occasion, des commerçants grecs s'installent à demeure en Égypte, à Naucratis dans le Delta, ou près des garnisons militaires comme à Éléphantine. Le pharaon leur accorde sa protection.

Malgré leur valeur, les soldats grecs ne peuvent empêcher Cambyse de battre l'armée égyptienne à Péluse (en 525 av. J.-C.), et de s'emparer de l'Égypte. En devenant perse, l'Égypte ne se ferme pas aux étrangers, bien au contraire, car les Perses, maîtres de l'Égypte, le sont aussi de toute l'Asie Mineure, et parmi leurs sujets on compte de nombreux Grecs, entre autres ceux de la côte ionienne et des îles proches.

Hérodote, le voyageur par excellence, arrive en Égypte vers 450 av. J.-C.

Avant son voyage, il a pris soin de lire tout ce que les Grecs ont déjà écrit sur l'Égypte ; il est donc bien préparé pour un séjour fructueux, d'autant, et il ne s'en cache pas, qu'il a beaucoup de sympathie pour les habitants. Son récit occupe une bonne part de son œuvre, et l'on s'aperçoit que fort souvent ce qui paraît le fruit d'une imagination trop fertile ou d'une mauvaise information de la part de ses interlocuteurs égyptiens est en fait exact ;

Dans la tombe du prince Khnoumhotep, «administrateur du désert oriental», des Bédouins conduits par leur chef, Absha, arrivent en Égypte avec leur famille, les plus jeunes enfants montés sur un âne. Sur cette peinture de Beni Hasan (vers 1900 av. J.-C.), 15 personnages sont représentés, mais le texte précise qu'ils étaient 37 en tout.

aussi est-il utilisé aujourd'hui encore par les égyptologues.

Au demeurant, les informations les plus utiles ne sont pas celles qui portent sur l'histoire politique, mais des observations sur la vie quotidienne, sur la religion, sur le pays même, car Hérodote sait voir et raconter. Grâce à lui,

Sebekhotep, le «grand trésorier» de Thoutmosis IV, a fait représenter dans sa tombe, à Thèbes, les chefs syriens vêtus de longues robes, venus offrir au roi des vases d'or et d'argent sertis de pierres semi-précieuses. Un des chefs est accompagné de sa fillette qu'il tient par la main.

nous connaissons des traits précis de la vie des Égyptiens que les représentations et les textes seuls ne peuvent nous transmettre ni nous expliquer. En Égypte en effet, pour le Grec qu'il est, tout est sujet d'étonnement. Ainsi note-t-il : «Dans tous les pays, les prêtres portent les cheveux longs, en Égypte ils se les rasent. Chez les autres peuples, les proches parents d'un mort se rasent la tête en cas de deuil, en Égypte ils se laissent pousser la barbe et les cheveux qui jusqu'alors étaient rasés.» Cette brève remarque fournit une explication sur un très beau portrait

de pharaon... mal rasé. Peint sur un éclat de pierre blanche, il s'agit certainement d'un croquis du nouveau pharaon, en deuil de son prédécesseur; sans Hérodote, nul n'aurait pu le deviner.

Si les rapprochements qu'Hérodote fait entre les dieux égyptiens et les dieux des Grecs sont arbitraires, en revanche, il nous donne des détails précieux sur les fêtes religieuses populaires auxquelles il a assisté. Il décrit par exemple la fête annuelle à Paprémis, dans le Delta: «La cérémonie commence comme partout par des sacrifices et autres rites, puis, dès le coucher du soleil, des prêtres commencent à s'affairer autour de la statue de Mars (Montou), tandis que d'autres vont se poster avec des gourdins devant l'entrée du temple. Des fidèles, au nombre d'un millier, armés de gourdins eux aussi, viennent se grouper face aux prêtres. La statue, à

Le visage mal rasé du pharaon montre qu'il est en deuil de son prédécesseur.

l'intérieur d'un temple miniature en bois doré, a été transporté la veille dans un autre édifice. Les quelques prêtres laissés de garde autour d'elle s'attellent à un char à quatre roues, portant le temple et sa statue. Les prêtres postés à l'entrée du sanctuaire leur en interdisent l'accès; mais alors tous les fidèles se précipitent au secours de leur dieu et commencent à frapper les prêtres. Ceux-ci ripostent, et une violente bataille s'engage à coups de gourdins. On n'hésite pas, si besoin est, à fracasser quelques crânes, et plus d'un combattant, j'en suis certain, ne s'en relève pas; on m'a pourtant affirmé qu'il n'y avait jamais de mort.» (traduction de Jacques Lacarrière).

Hérodote s'intéresse particulièrement au culte des animaux, si vivant en Égypte à l'époque où il visite le pays. «Dans certaines régions, écrit-il, les crocodiles sont sacrés. Dans d'autres, ils ne le sont pas et sont même chassés. Les gens de Thèbes et du lac Moeris (le Fayoum) les

Dans le Nil égyptien, on ne voit plus aujourd'hui de crocodiles, alors qu'ils abondaient dans l'Antiquité. Déjà, à la fin du XVIIIe siècle, lors de l'expédition d'Égypte, il fallait aller jusqu'à Thèbes pour en voir. Geoffroy Saint-Hilaire, l'un des savants naturalistes qui accompagnent Bonaparte, en détaillera les particularités et les mœurs dans la *Description de l'Égypte*.

tiennent pour particulièrement sacrés. Ces deux provinces nourrissent chacune un crocodile dressé et apprivoisé. On lui met des boucles d'oreilles, des bracelets aux pattes de devant, on lui donne des aliments sacrés, bref, il mène une vie de prince ! A sa mort, on l'embaume et on l'ensevelit dans un cercueil sacré. A Eléphantine, par contre, loin de le tenir pour tel, on n'hésite pas à le manger.»

Grâce à Hérodote, à la vivacité de son coup d'œil, nous voyons vivre les Égyptiens et, souvent, les représentations dans les temples comme dans les tombes confirment la justesse de ses observations.

L'Égypte est devenue un pays hellénisé, où seul le peuple garde les mœurs, les coutumes, la religion mêmes du temps des pharaons égyptiens

Les récits des écrivains grecs et romains qui viennent après Hérodote, très différents, sont utiles cependant, car l'Égypte reste encore l'Égypte antique et, touristes consciencieux, ils ont avant de partir lu les ouvrages concernant le pays, ouvrages aujourd'hui disparus.

Le type même de ce nouveau voyageur bien informé est Diodore de Sicile. Contemporain de Jules César, Diodore visite l'Égypte. Mais il est bien difficile, dans son œuvre, de discerner ce qu'il a puisé dans ses lectures de ce qu'il a vu lui-même ou appris de la bouche de ses interlocuteurs égyptiens. Plus crédule qu'Hérodote, il accepte sans sourciller l'affirmation des Égyptiens selon laquelle les rats naissent spontanément du limon

La représentation des paysages du Nil, parfois du Haut Nil comme dans cette mosaïque romaine, est le plus souvent fantaisiste. C'est un thème cher aux artistes romains.

du Nil! On trouve très rarement chez lui des remarques
prises sur le vif, telle celle-ci : «Dans le temps de
la moisson, les premiers épis sont donnés en offrande,
et les habitants, placés près d'une gerbe de blé,
la battent en invoquant Isis.» Comme tous les étrangers
de passage en Égypte, Diodore est étonné par le culte
des animaux. Il note même qu'en période de famine il est
arrivé aux Égyptiens de se manger entre eux plutôt que
de toucher aux animaux sacrés.

De nombreuses momies
étaient volées, mises
en pièces, écrasées
et réduites en poudre car,
jusqu'à la fin du
XVIIIᵉ siècle, elles étaient
considérées comme un
remède universel.

Strabon, citoyen romain, de mère grecque (il écrit
dans cette langue), est né sur les bords de la mer Noire.
Il vient en Égypte aux alentours de 30 av. J.-C., une
cinquantaine d'années après Diodore, alors que l'Égypte
est une province de l'Empire romain. Grâce à son amitié
avec le gouverneur, Aelius Gallus, Strabon peut parcourir
le pays dans les meilleures conditions. Il consacre à sa visite
jusqu'aux cataractes tout un livre de sa *Géographie*.
On retrouve dans son texte des notations rapides qui
rappellent Hérodote. Comme ce dernier, il décrit avec
amusement les fêtes populaires qu'il a vues : «Le spectacle

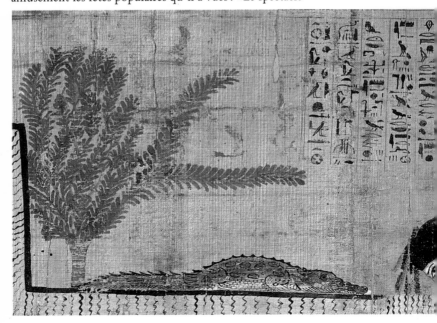

le plus curieux, à coup sûr, est celui de la foule qui, pendant les panégyries (fêtes religieuses), descend d'Alexandrie à Canope par le canal : celui-ci est alors couvert jour et nuit d'embarcations, toutes chargées d'hommes et de femmes qui, au son des instruments, s'y livrent sans repos ni trêve aux danses les plus voluptueuses, tandis qu'à Canope même les auberges qui bordent le canal offrent à tout venant les mêmes facilités pour goûter le double plaisir de la danse et de la bonne chère. »

Comme ses devanciers, Strabon s'intéresse au culte des animaux

Il donne des détails extrêmement précis. Ainsi, lors de sa visite de la ville de Crocodilopolis, dans le Fayoum, il note : «Le crocodile sacré est nourri dans un lac à part, les prêtres savent l'apprivoiser et l'appellent soukos (*sobek* en

Les momies sont parfois des simulacres, tel ce crocodile dont seule la tête est vraie, le reste étant formé de tiges de palmier entourées de bandelettes. Le cadavre d'un chien est ramené à une forme cylindrique surmontée d'une partie supérieure coudée qui représente la tête.

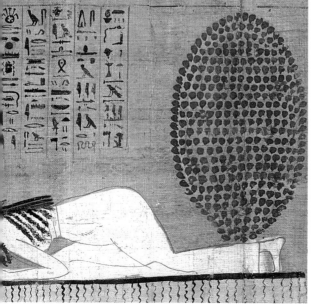

La grande-prêtresse d'Amon Herouben se prosterne devant un crocodile qui incarne ici le dieu de la terre Geb et non, comme le plus souvent, le dieu Sobek.

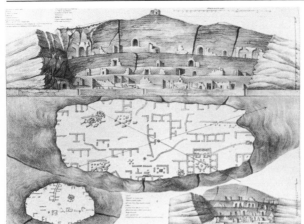

Coupe et plan de la ville de Crocodilopolis comme l'a vue le Marseillais Rifaud lorsqu'il la déblaya en 1823. Peu après son arrivée en Égypte onze ans auparavant, il conçut un plan systématique de fouilles qui le mena à la découverte de 6 temples, 66 statues et plus de 200 inscriptions.

Des statues colossales d'Aménophis III assis gardaient autrefois l'entrée du temple funéraire du pharaon. On a prétendu que l'une d'elles gémissait à l'aube et au crépuscule. Les Grecs l'identifièrent à Memnon, leur héros mort en Égypte. Des réparations effectuées sur la statue sous le règne de Septime Sévère firent taire sa voix, en fait probablement due aux changements de température le matin et le soir.

égyptien). Sa nourriture consiste en pain, en viande, en vin que lui apporte chacun des visiteurs étrangers qui se succèdent. C'est ainsi que notre hôte, personnage considérable dans le pays, qui s'était offert à nous servir de guide, eut la précaution, avant de partir pour le lac, de prendre sur sa table un gâteau, un morceau de viande cuite, ainsi qu'un flacon d'hydromel. Nous trouvâmes le monstre étendu sur la rive, les prêtres s'approchèrent, et tandis que les uns lui écartaient les mâchoires, un autre lui introduisit dans la gueule le gâteau, puis la viande, et réussit même à lui ingurgiter l'hydromel. Après quoi le crocodile s'élança dans le lac et nagea vers la rive opposée ; mais un autre étranger survint, muni lui aussi de son offrande ; les prêtres la lui prirent des mains, firent le tour du lac en courant et, ayant rattrapé le crocodile, lui firent avaler de même les friandises qui lui étaient destinées. »

Les renseignements fournis par Strabon sont si précis qu'ils seront à l'origine, beaucoup plus tard, de la découverte par Mariette du temple et des tombes des taureaux Apis à Saqqarah, le Serapeum.

Un autre voyageur célèbre est Plutarque, prêtre de l'Apollon de Delphes, qui vivait au Iᵉʳ siècle de notre ère

Voyageant en Égypte à une époque où Alexandrie possède encore des copies de l'œuvre de Manéthon, il puise dans les trois ouvrages que ce dernier a consacrés à la religion pharaonique l'essentiel de son gros livre sur Isis et Osiris, et dédie ce livre à Cléa, prêtresse de Delphes. En fait, il s'est contenté de vérifier ce qu'a écrit Manéthon, et n'a pas laissé de souvenirs aussi vivants que ceux d'Hérodote ou de Strabon. Cependant, c'est à lui que l'on doit de mieux connaître la religion du plus célèbre des dieux égyptiens, Osiris.

Faut-il citer aussi les empereurs romains parmi les voyageurs de l'Antiquité ? Deux d'entre eux au moins, Hadrien et Septime Sévère, ont gravé leur nom sur les colosses de Memnon, en souvenir de leur passage. La plupart des autres témoignent leur intérêt pour l'Égypte en faisant construire ou restaurer, en leur nom, des sanctuaires à ses dieux, mais ils ne se déplacent pas. Une exception toutefois : l'écrivain latin Tacite nous apprend que Germanicus s'est rendu en Égypte en 19 apr. J.-C. pour se faire une idée des antiquités du pays. Il visita les temples de Thèbes en compagnie d'un vieux prêtre capable de traduire les textes hiéroglyphiques en latin ou en grec, langue que Germanicus parlait, comme tout Romain cultivé. Grâce à ce prêtre, et à Tacite qui a retenu ses propos, nous avons quelques indications sur «les tributs imposés aux nations : le poids d'argent et d'or, le nombre des armes et des chevaux, les offrandes pour les temples, l'ivoire et les parfums, les quantités de froment et les provisions que chaque nation devait fournir.»

Antinoüs, le favori de l'empereur Hadrien, se noya dans le Nil en 125 de notre ère. En sa mémoire l'empereur fonda la ville d'Antinoë. En 1798, les savants y virent des ruines importantes, dont la colonne érigée par Alexandre Sévère ; en 1828, Champollion n'y trouva plus que des débris.

Comment le Roy saint loys en auldint retorner a dunnete fut
pris. le xvviij. chappre.

pres ceste desconfitu
re ainsi faitte sur
les sarazins ne
demouru gueres apres que

le filz du souldan mort dint
des parties dorent z auuia
a la massore et le receuvt
les egipciens a grande reue
rence z honneur comme leur

Aucun des récits du Iᵉʳ au XIVᵉ siècle ne sont comparables à ceux des Anciens. A l'époque des croisades, on trouve à nouveau des récits de voyages qui parlent de l'Égypte et de ses monuments. Mais alors, plus personne ne sait lire les textes hiéroglyphiques ; l'Égypte est musulmane, il est difficile d'y pénétrer, et les Européens qui y parviennent ne peuvent guère dépasser Le Caire.

CHAPITRE III
CROISÉS, MOINES ET CURIEUX AU FIL DU NIL

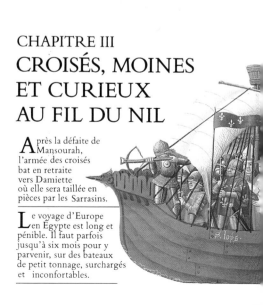

Après la défaite de Mansourah, l'armée des croisés bat en retraite vers Damiette où elle sera taillée en pièces par les Sarrasins.

Le voyage d'Europe en Égypte est long et pénible. Il faut parfois jusqu'à six mois pour y parvenir, sur des bateaux de petit tonnage, surchargés et inconfortables.

Les voyageurs du bas Moyen Âge et de la Renaissance ne mentionnent donc que le Delta et ses villes, Damiette et Rosette notamment, ou les pyramides de Gizeh ; nourris de la Bible, ils voient en elles les greniers de Joseph !
Ils s'intéressent aux souvenirs chrétiens plutôt qu'à ceux de l'Égypte pharaonique. Très rares sont, d'ailleurs, ceux qui s'y attardent plus d'une quinzaine de jours ; l'Égypte n'est le plus souvent qu'une escale au cours du pèlerinage aux lieux saints.

Il faut attendre le XVIIᵉ siècle pour que s'ouvre l'ère des grands voyages préludant à la redécouverte de l'Égypte par l'expédition française de Bonaparte.

Voyageurs par devoir, les moines poursuivent au Moyen-Orient leur tâche d'évangélisation du monde

Capucins, Dominicains et Jésuites ont, dès le début du XVIIᵉ siècle, des installations plus ou moins permanentes au Levant, et en particulier au Caire, d'où il peuvent rayonner pour répandre l'Évangile.

En 1672, le dominicain Vansleb, d'origine allemande, est chargé par Colbert d'une mission scientifique précise : l'achat de manuscrits et de médailles anciennes. Il arrive au Caire la même année, parcourt tout le pays, voyage jusqu'en Haute Égypte.

Comme les autres missionnaires catholiques, il est attiré d'abord par les couvents coptes anciens, et visite les

Au XVIIᵉ siècle, la visite des pyramides est toute une expédition. Le père Vansleb écrit : «Le 27 avril (1672), j'y allai en compagnie du consul français, nous avions avec nous trois janissaires pour nous protéger, de sorte que nous étions environ cinquante cavaliers bien montés sur des ânes ayant avec nous des provisions pour quatre jours.»

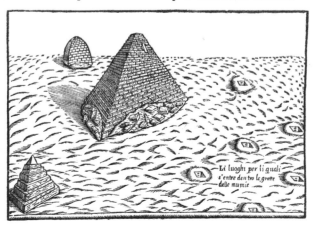

Li luoghi per li quali s'entra dentro le grotte delle mumie

monastères «Blanc» et «Rouge» de Sohag, ainsi que celui
de Saint-Antoine, au bord de la mer Rouge. Toutefois,
il ne néglige pas pour autant les antiquités : il est
le premier Européen à décrire les ruines d'Antinoë,
en Moyenne Égypte, la ville romaine qu'Hadrien fit
construire en mémoire de son favori Antinoüs qui s'était
noyé dans le Nil. Disgracié à son retour en France, Vansleb
se voit refuser le remboursement de ses dépenses par
Colbert, et meurt désenchanté, sans ressources, quelques
années plus tard.

Le Parisien Jean de Thevenot est le premier voyageur, au XVIIᵉ siècle, attiré au Levant par pure curiosité

Traversant la Syrie et la Perse, il va jusqu'aux Indes ;
en 1652, en passant, il s'arrête en Égypte. Comme ses
prédécesseurs de la Renaissance; Thevenot ne voit que
le Delta, Le Caire et ses environs. A Gizeh, il prend les
mesures de la Grande Pyramide et en décrit l'intérieur.
Il est le premier aussi à soupçonner que Memphis, capitale
pharaonique, doit se trouver près de Saqqarah, où il se fait
ouvrir un «mastaba» et achète un sarcophage de carton
«tout couvert d'idoles et de hiéroglyphes».

Abandonné
probablement au
XIVᵉ siècle, le couvent copte
de Saint-Siméon,
à Assouan, est l'un des
plus grands d'Égypte.
L'enceinte renferme les
cellules des moines,
le réfectoire et l'église.

Jean de Thévenot, né en 1633, mourut en Perse en 1667. Par ses gravures, il fit découvrir aux Européens le Moyen-Orient.

En Égypte, il s'intéressa aux momies, comme son contemporain Vansleb qui, à Saqqarah, fit ouvrir un puits au fond duquel il trouva un souterrain rempli de vases contenant des momies d'oiseaux. Il en emporta une demi-douzaine ; dans un autre puits, il découvrit deux cercueils qu'il fit ouvrir. Il raconte sa déception : «Nous ne trouvâmes rien d'extraordinaire et nous les laissâmes là où nous les avions trouvés.» C'est la même opération que Thévenot a fait représenter dans cette illustration de son *Voyage au Levant*, imprimé en 1664.

Consul général de France en Égypte sous Louis XIV, Benoît de Maillet envoie au roi un certain nombre d'antiquités

Par sa situation, Maillet est le précurseur des trop célèbres consuls du XIXᵉ siècle qui mirent au pillage les antiquités de l'Égypte pour le bénéfice des grands musées européens.

Il approvisionne également le comte de Pontchartrain, et surtout le comte de Caylus qui a lui-même fouillé en Grèce. La plupart des antiquités égyptiennes de la collection Caylus sont maintenant au cabinet des médailles de la Bibliothèque nationale.

Un ouvrage est publié en 1735 d'après les mémoires de Maillet ; son titre seul est tout un programme : *Description de l'Égypte, contenant plusieurs remarques curieuses sur la Géographie ancienne et moderne de ce Païs, sur ses Monuments anciens, sur les Mœurs, les Coutumes, la Religion des Habitants, sur le Gouvernement et le Commerce, sur les Animaux, les Arbres, les Plantes,* etc. Pour la première fois, l'Égypte est décrite dans son ensemble ; les antiquités y figurent en bonne place et Maillet publie une coupe de la Grande Pyramide qui, en gros, est exacte, même si la hauteur est exagérée par rapport à sa base. Enfin, devançant l'idée de Desaix et de Champollion d'envoyer à Paris un des obélisques de Louqsor, Maillet pense à faire transporter dans la capitale un monument digne d'elle... la colonne de Pompée d'Alexandrie ! Seules les difficultés de l'opération l'obligeront à y renoncer.

Benoît de Maillet publie en 1735 la première coupe de la pyramide de Chéops qui, à l'échelle près, est exacte. Il en décrit l'intérieur, mais il avertit : «A l'égard de l'intérieur de la pyramide, il est si obscur et tellement noirci par les fumées des chandelles qu'on y brûle depuis plusieurs siècles en l'allant visiter, qu'il est difficile de bien juger de la qualité des pierres (...) On reconnaît seulement que leur polissure est extrême ; qu'elles sont de la dernière dureté et si parfaitement jointes les unes aux autres que la pointe du couteau ne saurait pénétrer dans l'espace qui les sépare.»

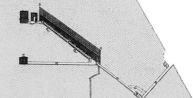

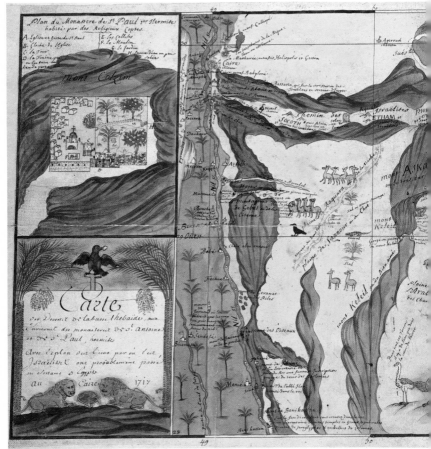

Claude Sicard, supérieur de la mission des Jésuites au Caire, parcourt vraiment toute l'Égypte et en dresse la première carte

Le Régent, Philippe d'Orléans, l'a chargé de rechercher les anciens monuments de l'Égypte et de les dessiner ; on lui adjoint un dessinateur à cet effet. Sicard, qui a enseigné les «humanités» au collège des Jésuites de Lyon, est excellent latiniste et helléniste, par ailleurs il parle et écrit couramment l'arabe. Peu à peu sa quête des monuments se

Le voyage de Sicard avait pour but de retracer l'itinéraire de l'Exode et de la traversée de la mer Rouge. Cette carte des déserts de la «basse Thébaïde», de 1717, dessinée par un Arménien, peintre d'icônes, sur les indications de Sicard, se trouve aujourd'hui à la Bibliothèque nationale.

transforme en une recherche sur la géographie ancienne de l'Égypte. Comme Champollion le fera un siècle plus tard, il part des textes grecs, latins, coptes et arabes pour retrouver les noms anciens des villes et des villages qu'il visite systématiquement. Sachant manier le sextant, comme tous les jésuites de son temps, Sicard dresse donc la première carte scientifique de l'Égypte, depuis la Méditerranée jusqu'à Assouan (cette carte qui avait été perdue, vient d'être retrouvée tout récemment). Envoyée

À la suite d'une traversée du désert entre Le Caire et la mer Rouge, Sicard avait relevé tous les éléments destinés à illustrer son projet : végétation, animaux peuplant le pays, emplacements des monuments anciens et plans des monastères coptes.

au roi en 1722, elle permettra de situer avec précision non seulement Memphis et Thèbes, mais aussi tous les grands temples de l'Égypte : Éléphantine, Edfou, Kom Ombo, Esneh, Denderah... Et lorsque Sicard meurt de la peste au Caire, en 1726, il achève tout juste de rédiger un *Parallèle géographique de l'ancienne Égypte et de l'Égypte moderne*. Il a cinquante ans.

Les précisions apportées par les travaux de Maillet et Sicard facilitent désormais beaucoup les voyages en Égypte, car désormais celle-ci n'apparaît plus comme «une vague et mystérieuse région peuplée de sauvages, de démons, de serpents magiques, de pygmées et de bêtes monstrueuses». Parmi les voyageurs qui ont précédé de quelques années le débarquement de l'armée française à Alexandrie en 1798, deux doivent être évoqués en raison de l'influence que leurs récits va exercer sur les savants qui accompagnèrent Bonaparte : Savary et Volney.

A la fin du XVIIIᵉ siècle, l'Égypte attire de plus en plus de voyageurs

Savary, né à Vitré, voyage pour son plaisir. Il reste au Caire de 1776 à 1779 et, quoi qu'il ait dit, il ne dépasse pas les environs de cette ville. Ses *Lettres écrites d'Égypte* ont trait davantage à l'Égypte moderne qu'aux monuments antiques, qu'il décrit d'après les auteurs classiques ou en empruntant à Maillet et Sicard. Son récit ne manque pas d'agrément ; il nous apprend, par exemple, comment on visitait alors les pyramides.

L'entrée supérieure de la pyramide de Chéphren s'ouvre sur la face nord, à environ 15 m au-dessus du sol. Elle donne accès à un couloir qui descend jusqu'au roc et rejoint le corridor horizontal menant à la salle du sarcophage.

«A trois heures et demie du matin, nous arrivâmes au pied de la plus grande. Nous déposâmes nos habits à la porte du canal (couloir) qui conduit dans l'intérieur. Nous y descendîmes tenant chacun un flambeau à la main. Vers le fond, il fallait ramper comme des serpents pour pénétrer dans le canal intérieur qui correspond au premier. Nous le montâmes à genoux, nous appuyant des mains contre les côtés. Sans cette précaution, on courait le risque de glisser sur le plan incliné, où de légères entailles ne suffisent pas pour arrêter le pied, et l'on se précipiterait en bas. Vers le milieu, nous tirâmes un coup de pistolet dont le bruit épouvantable répété dans les cavités de cet immense édifice se perpétua pendant longtemps. Il éveilla des milliers de chauves-souris qui s'élançaient de haut en bas, nous frappaient aux mains et au visage. Elles éteignirent plusieurs de nos bougies.»

Savary accompagne sa description de la coupe de la pyramide... qu'il emprunte sans vergogne à Maillet.

Il décrit ensuite la chambre funéraire et son sarcophage au couvercle arraché, encore entouré de «morceaux de vases de terre».

Par le charme de leur style, les *Lettres* de Savary séduisent beaucoup de Français de l'expédition de 1798. Mais ils lui reprocheront ensuite de les avoir trompés et d'avoir décrit une Égypte idyllique... inexistante.

L'entrée inférieure de Chéphren est creusée à la base de la pyramide, directement dans le roc où, par un long couloir souterrain, elle conduit à la chambre funéraire.

❝A peine eûmes-nous fait un quart de lieue que nous aperçûmes le sommet des deux grandes pyramides. L'aspect de ces monuments antiques qui ont survécu à la destruction des nations, à la chute des empires, aux ravages des temps, inspire une sorte de vénération. L'âme, en jetant un coup d'œil sur les siècles qui se sont écoulés devant leur masse inébranlable, frissonne d'un respect involontaire. Salut aux restes des sept merveilles du monde ! Honneur à la puissance du peuple qui les éleva !❞

Savary

Intérieurs de catacombes ou intérieurs de pyramides, ces immenses caveaux excitent la curiosité de tous les voyageurs.

Avec Volney, ce n'est certes pas l'optimisme qui ressort de son *Voyage en Syrie et en Égypte.* Né à Craon, en Mayenne, en 1757, Volney s'appelle en réalité Chassebœuf. Mais ayant trouvé plus élégant d'emprunter à Voltaire, qu'il admirait, la première syllabe d'un nouveau nom, Vol, il l'a complété de la dernière syllabe du village de Ferney, où habite son héros.

Après de solides études classiques à Angers, Volney s'est installé à Paris, où il a fait sa médecine tout en publiant, à vingt ans à peine, un *Mémoire sur la Chronologie d'Hérodote.* Il s'est alors lié avec les encyclopédistes, Diderot, d'Alembert, Turgot. En 1781, un héritage le décide à voyager : « L'Amérique naissante et les sauvages me tentaient, d'autres idées me décidèrent pour l'Asie ; la Syrie surtout, et l'Égypte me parurent un champ propre aux observations politiques et morales dont je voulais m'occuper. »

Il partit donc pour observer, non sans s'être préparé auparavant, car il est de santé délicate, en s'exerçant à la course, en s'habituant à rester des jours entiers sans manger, en franchissant de larges fossés et en escaladant des murailles élevées, ce qui ne manque pas de surprendre les habitants d'Angers qui le regardent faire. Quand il s'estime en forme, il part, sac au dos, fusil à l'épaule et « autour des reins une ceinture de cuir contenant 6 000 francs en or ». C'est sans doute dans cet équipage qu'il débarque à Alexandrie en 1782, car, aussitôt arrivé, ce voyageur extraordinaire ne nous parle plus de lui. Son *Voyage en Syrie et en Égypte* ne contient aucune description de l'Égypte, bien qu'il y soit resté sept mois. Et cependant il mérite d'être cité car il a été très lu par les savants de l'expédition d'Égypte qui ont été frappés par ses remarques sur les antiquités : «Si l'Égypte était possédée par une nation amie des Beaux-Arts, on y trouverait pour la connaissance de l'Antiquité des ressources que désormais le reste de la terre nous refuse. A la vérité, le Delta n'offre plus de ruines bien intéressantes, parce que les habitants ont tout détruit par besoin ou par superstition. Mais le Saïd (la Haute Égypte) moins peuplé, mais la lisière du désert moins fréquentée en ont encore d'intactes. Ces monuments enfouis dans les sables s'y conservent en dépôt pour la génération future. C'est à ce temps qu'il faut remettre nos souhaits et nos espoirs.» Le souhait de Volney va être exaucé beaucoup plus vite qu'il ne croit. Publié en 1787, son ouvrage est le seul livre que Bonaparte emporte avec lui en Égypte. Après sa publication, Volney semble se désintéresser de l'Égypte. Il mène, il est vrai, une vie agitée : député du Tiers État en 1789, il devient ensuite secrétaire de la Constituante. Emprisonné sous la Terreur, il risque la guillotine. En 1795, il part enfin pour l'Amérique mais, accusé d'espionnage, il doit rentrer en France en 1798. Plus tard, Bonaparte lui propose de s'associer au Consulat, puis de le nommer ministre de l'Intérieur. Fidèle à son idéal révolutionnaire, Volney refuse. Pourtant, sous l'Empire, il accepte de siéger au Sénat. Louis XVIII le nomme pair de France. Il meurt à Paris en 1820.

En 1798, des visiteurs bien différents débarquent à Alexandrie : les soldats de Bonaparte, et avec eux Vivant Denon

Il est peu de personnages aussi curieux et attachants que le baron Dominique Vivant Denon. Né près de Chalon-sur-Saône en 1747, il a d'abord été gentilhomme de la Chambre sous Louis XV, puis secrétaire d'ambassade à Saint-Pétersbourg et à Naples sous Louis XVI. Bien que noble – petite noblesse, il est vrai – il survit à la Terreur, à Paris.

Les pyramides de Gizeh

Des sept merveilles du monde antique, Chéops, la grande Pyramide, est la seule qui subsiste aujourd'hui. Avec 230 m de côté, sa base couvre 5 hectares. Elle mesurait à l'origine 146 m de haut. Des blocs de pierre d'1 m³ sont organisés en 201 assises, la première, à la base, mesurant 1,50 m de haut, les suivantes diminuant graduellement jusqu'à atteindre 0,55 m au sommet. Les évaluations donnent un nombre total de 2,6 millions de blocs, représentant une masse de 7 millions de tonnes qui a donc été extraite des carrières voisines, charriée à pied d'œuvre et hissée sur la pyramide au fur et à mesure de son élévation. Pour effectuer ce transport aujourd'hui, il faudrait 7 000 trains de 1 000 tonnes chacun ou 700 000 charges de camions de 10 tonnes ! Napoléon avait fait faire un autre calcul : avec les blocs des trois pyramides, on aurait pu entourer la France d'un rempart de 3 m de haut sur 30 cm de large ! Rien d'étonnant, donc, que des proportions tellement extraordinaires aient pu prêter à toutes les spéculations.

Homme ou lion, le sphinx

Tout aussi mystérieux que les pyramides, le sphinx de Gizeh excite l'intérêt des pèlerins et des voyageurs. Maillet, en 1735, y voyait «une tête de femme entée sur un corps de lion» et se demandait s'il ne fallait pas y voir «les signes du zodiaque de la Vierge et du Lion associés».

Tous les dessins anciens ne montrent du sphinx que sa tête monumentale émergeant du sable. Les opérations de désensablement commencent en 1816, avec Caviglia, sont abandonnées et reprises en 1853 par Mariette. C'est Maspero et Brugsch, en 1886, qui le dégageront complètement et feront apparaître sa forme de lion couché, gardien du tombeau du pharaon Chéphren.

Du haut de ces pyramides…

La Grande Pyramide était à l'origine surmontée d'un «pyramidion» fait d'un seul bloc de granit ou de basalte. Sur les blocs de la plate-forme qui lui servaient de base, voyageurs et touristes ont gravé leur nom. Malgré les dangers d'une telle ascension, nombreux étaient ceux qui tentaient l'escalade. Jean Palerme, en 1581, écrit : «Un gentilhomme curieux d'y monter, parvenu à la cime s'estonna (eut le vertige) de façon qu'il tomba et se fracassa. Tellement qu'on ne lui connaissoit plus aucune forme d'homme.»

La grande galerie
et la chambre du roi

Tout en superposant des blocs de pierre, terrasse après terrasse, les constructeurs de la Grande Pyramide avaient ménagé une sorte de labyrinthe intérieur devant mener à la chambre funéraire du pharaon Chéops. Sur la face nord, deux entrées, dissimulées par de gros blocs de pierre, ouvrent sur d'étroits couloirs qui conduisent aux deux extrémités de la grande galerie. Celle-ci, beaucoup plus vaste de dimensions (8,50 m de haut et 47 m de long), permet d'accéder à un palier par lequel on se glisse dans la chambre royale. C'est là que reposait, dans un sarcophage, la momie du pharaon, entourée de trésors. Toutes les précautions prises pour obturer les couloirs et rendre le sanctuaire inviolable n'empêchèrent pas les pilleurs de pénétrer à plusieurs reprises et de tout y dérober.

Par la suite, voyageurs aventureux ou paysans voisins se risqueront dans ce labyrinthe, escaladant la grande galerie à la lueur de torches ou contemplant le sarcophage - vide - d'un pharaon mort vers 2 600 avant J.-C.

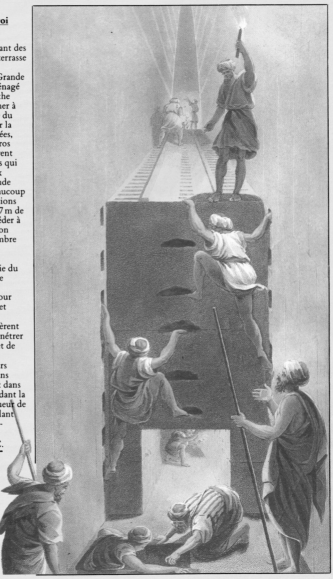

Plus tard, pendant le Directoire, la toute-puissante Joséphine de Beauharnais s'intéresse à lui, et, sur son intervention, il participe à l'expédition d'Égypte, bien que Bonaparte le juge alors trop âgé : il a cinquante ans. Au retour d'Égypte, Napoléon le nomme directeur général des musées ; c'est lui qui crée le musée Napoléon, c'est-à-dire notre Louvre actuel. A la chute de l'Empire, Louis XVIII se souvient de l'avoir vu à la cour de Louis XVI et le maintient dans son poste.

Il ne le quittera qu'après 1815, volontairement, pour protester contre la restitution, exigée par les alliés, des œuvres accaparées sous l'Empire. Retiré, il entreprend une *Histoire de l'art depuis les temps les plus reculés jusqu'au commencement du XIXe siècle.* A soixante-dix-huit ans, sous le règne de Charles X, il meurt à Paris, quai Voltaire, à quelques pas de l'Institut dont il faisait partie depuis 1787.

Ce portrait de jeune homme, le visage souriant caché sous un grand chapeau de feutre, est typique de la fin du XVIIIe siècle. Vivant Denon commençait alors sa carrière, sous le règne de Louis XV.

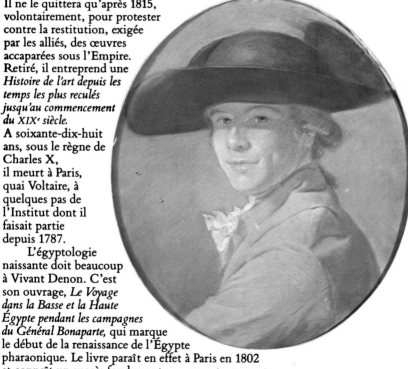

L'égyptologie naissante doit beaucoup à Vivant Denon. C'est son ouvrage, *Le Voyage dans la Basse et la Haute Égypte pendant les campagnes du Général Bonaparte,* qui marque le début de la renaissance de l'Égypte pharaonique. Le livre paraît en effet à Paris en 1802 et connaît un succès foudroyant : on compte quarante éditions successives, et il est aussitôt traduit en anglais et en allemand. Succès justifié, Denon est un artiste, excellent graveur. Il a suivi en Haute Égypte le corps expéditionnaire de Desaix lancé à la poursuite du mamelouk Mourad, et a fait alors la découverte des monuments de l'Égypte des pharaons.

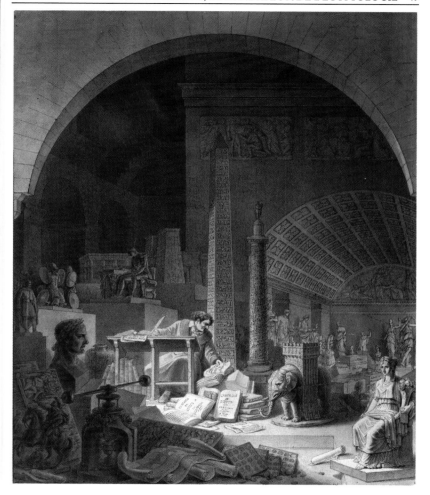

Pour l'esthète, c'est la dure vie des soldats en campagne

Pourtant, Denon est enthousiasmé et dessine autant qu'il peut, dans les conditions les plus difficiles, comme il l'explique lui-même : «Assis près de son bureau, la carte devant lui, l'impitoyable lecteur dit au pauvre voyageur

Plus âgé, dans son cabinet de travail, entouré de pièces anciennes, c'est le même Vivant Denon, fondateur du musée Napoléon devenu musée du Louvre.

poursuivi, affamé, en butte à toutes les misères de la guerre : "il me faut ici Aphroditopolis, Crocodilopolis, Ptolemaïs, qu'avez-vous fait de ces villes ? N'aviez-vous pas un cheval pour vous porter, une armée pour vous protéger ?" (...) Veuillez bien, lecteur, songer que nous sommes entourés d'Arabes, de Mamelouks, et que très probablement ils m'auraient enlevé, pillé, tué, si je m'étais avisé d'aller à cent pas de la colonne vous chercher quelques briques d'Aphroditopolis."

Une anecdote, relevée par Anatole France, résume bien les conditions dans lesquelles Denon travaille : «Un jour que la flottille de l'expédition remontait le Nil, il aperçut des ruines et dit : "Il faut que j'en fasse un dessin". Il obligea ses compagnons à le débarquer, courut dans la plaine, s'établit sur le sable et se mit à dessiner. Comme il achevait son ouvrage, une balle passe en sifflant sur son papier. Il relève la tête et voit un Arabe qui venait de le manquer et rechargeait son arme. Il saisit son fusil déposé à terre, envoie à l'Arabe une balle dans la poitrine, referme son portefeuille et regagne la barque. Le soir, il montre son dessin à l'état-major. Le général Desaix lui dit : "Votre ligne d'horizon n'est pas droite. Ah ! répond Denon, c'est la faute de cet Arabe, il a tiré trop tôt."»

Ce sont les croquis faits dans de telles conditions qui servent à Denon pour les gravures des planches de l'atlas qui accompagne le texte du *Voyage dans la Basse et la Haute Égypte*. Sans doute, ses dessins n'ont pas la rigueur de

66 En 1797, il rencontre, dans un bal, chez M. de Talleyrand, un jeune général qui demande un verre de limonade. Denon lui tend le verre qu'il tient à la main.
Le général remercie ; la conversation s'engage, Denon parle avec sa grâce ordinaire et gagne en un quart d'heure l'amitié de Bonaparte.
Il plut tout de suite à Mme Bonaparte et devint de ses familiers. L'année suivante, comme il était dans le cabinet de toilette de cette dame, se chauffant à la cheminée, car l'hiver durait encore :
– Voulez-vous, lui dit-on, faire partie de l'expédition d'Égypte ?
– Serai-je maître de mon temps et libre de mes mouvements ? demanda-t-il.
On le lui promit.
– J'irai, dit-il.
Il était âgé de plus de cinquante ans. 99
Anatole France

ceux de la *Description de l'Egypte,* qui paraîtront après. En revanche, il sont beaucoup plus évocateurs. L'Europe, grâce à eux, se fait une idée juste du nombre, de la richesse, de la beauté des monuments qui couvrent l'Égypte. Ce sont eux qui déclenchent ce que l'on a appelé l'égyptomanie, qui va attirer à la fois les savants, comme Champollion, et les pillards en quête de fortune.

Desaix avait établi son quartier général dans des tombeaux, près de Nagada. Vivant Denon est assis, à l'extrême gauche. On voit au centre le général Belliard, l'un des chefs de l'armée d'Égypte, s'apprêtant à arbitrer un conflit entre des Arabes de Nagada et de présumés voleurs.

Revenu de Haute Égypte au Caire en juillet 1799, Vivant Denon rend compte à Bonaparte, dessins à l'appui, de tout ce qu'il a vu. Le futur Napoléon désigne alors deux commissions spéciales de «savants», pour mesurer et dessiner tous les monuments vus par Denon, et continuer les recherches. Ces commissions se rendent immédiatement en Haute Égypte et, en deux ans, préparent l'œuvre monumentale qu'est la *Description de l'Égypte*.

CHAPITRE IV
AVENTURIERS ET VOLEURS

Bonaparte lance : «Soldats, du haut de ces pyramides quarante siècles vous contemplent !» La bataille des Pyramides frappe les imaginations et inspire nombre de tableaux et de gravures.

Imprimée à Paris, de 1809 à 1822, en neuf volumes de textes et onze très grands volumes de planches, la *Description* ou *Recueil des Observations et des Recherches qui ont été faites en Égypte pendant l'expédition de l'armée française, publié par les ordres de S.M. l'Empereur Napoléon* complète, développe et précise l'œuvre de pionnier accomplie par Vivant Denon. Elle constitue l'assise sur laquelle l'égyptologie a pu se construire.

Redingote d'épais drap vert, culotte ajustée, chapeau de feutre : ce sont les 165 savants de la Commission des sciences et des arts de l'armée d'Orient. Leur costume est totalement inadapté à l'été égyptien. Beaucoup regrettent la France.

Dans toute l'Europe, on redécouvre l'Égypte

On imagine mal aujourd'hui l'extraordinaire intérêt que souleva la double publication, et de l'ouvrage de Denon et de celui de la Commission des sciences et des arts de l'armée d'Orient, comme sont désignés collectivement les savants qui rédigent la *Description de l'Égypte*. Du jour au lendemain, pourrait-on dire sans exagérer, l'Égypte devient à la mode. De 1802 à 1830, une dizaine de voyageurs de grande valeur, français, allemands, anglais, suisses, viennent voir sur place les merveilles révélées par le *Voyage* et la *Description*. Les récits et les dessins, fruits de leurs pérégrinations, contribuent à entretenir la vogue croissante que l'Égypte connaît alors.

De 1798 à 1801, de nombreux objets, tel ce bronze, sont conservés au Caire, à l'Institut d'Égypte. Les Anglais s'emparent de la plupart d'entre eux et en font leur butin de guerre.

Cet engouement a une conséquence inattendue : le vol des antiquités. Ces vols sont tolérés, ou même parfois carrément opérés par le gouvernement de Méhémet Ali. En contrepartie, ils fournissent aux savants des

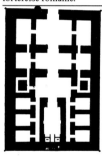

Le temple de Kasr-Qaroun à l'extrémité nord-ouest du Fayoum. «Vue prise à l'heure du coucher du soleil. A droite, la caravane des ingénieurs français, précédés de leurs guides arabes et accompagnés d'une escorte; à gauche, le campement d'une tribu ennemie cachée derrière des monticules de sable.» Le temple date de la fin de l'époque grecque (Iᵉʳ siècle av. J.-C.). La ville dont il faisait partie, Dionysias, comportait également une forteresse romaine.

Sur la seconde image, on voit la façade du temple de Kasr-Qaroun. «Le monument est censé être éclairé par un beau clair de lune. A l'entrée les voyageurs se préparent à pénétrer dans l'édifice sous la conduite de leurs guides; à la droite est le campement de la caravane.» Le plan du temple a été levé par M. Bertre, «ancien capitaine ingénieur-géographe». Les illustrations de la *Description de l'Égypte* sont toutes accompagnées de ce type de commentaires.

documents de toutes les époques qui leur serviront pour découvrir le secret de l'écriture hiéroglyphique.

A dire vrai, le pillage n'est pas nouveau en Égypte : les trésors des tombes sont bien tentants

Déjà vers 2000 av. J.-C., le pharaon Merikarê avoue à son fils : «On s'est battu dans les cimetières, les tombes ont été pillées, et j'ai fait de même.» En 1100 av. J.-C., le gouverneur de Thèbes découvre que les tombes royales sont systématiquement mises à sac par des bandes de voleurs organisées qui se partagent le butin. L'affaire est jugée à Thèbes, et nous en connaissons le déroulement par les dossiers sur papyrus qui nous sont en grande partie parvenus.

La commission d'enquête nommée par le gouverneur commença par examiner toutes les tombes royales : «Tombe-pyramide du fils de Rê, Sebekemsaf (1700 av. J.-C.). On vit qu'elle avait été violée par

les voleurs, un tunnel ayant été creusé dans une des chambres de cette pyramide à partir du hall extérieur de la tombe de Nebamoun, inspecteur des greniers du roi Menkheperrê (Toutmosis III). La chambre funéraire du roi a été trouvée sans le corps du seigneur. Il en allait de même de la chambre funéraire de la grande épouse royale, Noubkhas, sa femme. »

L'enquête aboutit à l'inculpation d'un grand nombre de voleurs, ouvriers ou petits fonctionnaires appartenant presque tous à l'administration de la nécropole. Arrêtés et traduits devant le tribunal, ils prêtent serment et jurent de dire la vérité, faute de quoi ils pourraient avoir «le nez et les oreilles coupés, ou être exécutés». L'un d'eux déclare: «En l'an 17 du pharaon (régnant) mon maître, il y a quatre ans, nous avons recherché la tombe du pharaon Sebekemsaf. Nous l'avons forcée. Nous avons ouvert les cercueils extérieurs, puis les cercueils intérieurs. Nous

❝ Vue des grottes taillées à l'entrée des anciennes carrières. (A gauche du tableau), une grande germe (bateau) est arrêtée devant les grottes ; les colonnes et sculptures que l'on voit sont taillées dans le rocher ; les carrières de grès sont au-delà. Sur le second plan est un rocher isolé qui a une large tête et auquel on a prétendu sans fondement qu'était jadis attachée une chaîne servant à barrer le Nil. ❞
Description de l'Égypte

Champollion s'arrête longuement à Selseleh en 1829. Il date correctement de la XVIIIᵉ dynastie (vers 1350 av. J.-C.) la grande chapelle centrale. La chaîne aurait servi à empêcher les bateaux nubiens de pénétrer en Égypte. La pierre des carrières proches était destinée à la construction des temples de Karnak et de Louqsor.

avons trouvé la noble momie du roi équipée en guerrier, elle portait un grand nombre d'amulettes et d'ornements en or au cou, et sa coiffure d'or était en place. La noble momie de ce roi était entièrement recouverte d'or, et son cercueil intérieur était serti de beaucoup d'or et d'argent à l'extérieur comme à l'intérieur, ainsi que de toutes sortes de pierres précieuses. Nous prîmes l'or qui recouvrait la noble momie, ainsi que les amulettes et les ornements

Situé au milieu de l'île d'Éléphantine, ce petit temple a été dessiné par Vivant Denon. Moins de trente ans plus tard, lorsque Champollion s'arrêta à Éléphantine, le temple avait disparu, ses pierres ayant probablement été brûlées dans des fours à chaux pour servir à de nouvelles constructions.

qu'elle portait au cou. Nous avons (de plus) volé tout le
mobilier que nous avons trouvé, à savoir : des objets d'or,
d'argent et de bronze, et nous avons partagé le tout entre
nous, en huit lots.» Le procès-verbal conclut : «Leurs
procès et leurs sentences furent dûment enregistrés et
envoyés au pharaon.» Seul celui-ci peut en effet prononcer
une peine de mort. Les procès de ce genre occupent des
mètres et des mètres de papyrus, et encore, tout ne nous est
pas parvenu ! Ils montrent l'ampleur des pillages, mais ils

donnent aussi une idée de la richesse des tombes royales,
richesse que confirmera bien des années plus tard, en 1922,
la trouvaille de la tombe de Toutânkhamon.

Les vols se poursuivent : il existe même des manuels du parfait pilleur

Commencé donc par les Égyptiens eux-mêmes, le pillage
se poursuit sous les empereurs romains et byzantins qui
enlèvent à l'Égypte nombre de monuments, obélisques,
sphinx, statues, destinés à l'ornement de leurs capitales,
Rome et Constantinople, ou simplement de leurs villas

À côté des agents des consuls et à leur exemple, les paysans égyptiens pillent eux aussi. Cette aquarelle de Wilkinson montre une femme occupée à chercher des antiquités dans une tombe thébaine remplie de momies.

personnelles, comme le font Hadrien et Dioclétien.
Auparavant déjà, les rois perses avaient envoyé à Persépolis
des statues enlevées aux temples.

Par la suite, les coptes, en transformant les temples
en églises, et les ermites, en occupant les tombes rupestres,
détruisent, mutilent ou effacent bas-reliefs et peintures,
ce qui est une autre forme de pillage.

La conviction que des trésors sont cachés dans les
temples, et un riche mobilier funéraire dans les tombes,
semble s'être transmise oralement en Égypte, de
génération en génération.

Un grimoire composé en arabe, et dont on connaît de
nombreux exemplaires, est intitulé *Livre des Perles enfouies
et du Mystère précieux, au sujet des indications des cachettes des
trouvailles et des trésors*. Il fournit une liste précise des
endroits où se trouvent les trésors, ainsi que les procédés
magiques qu'il faut employer pour se les approprier car,
bien entendu, des génies redoutables, des djinns, veillent
sur eux. Les chercheurs de trésors sont si nombreux en
Égypte qu'au XIVᵉ siècle ils sont imposés en tant
qu'artisans ! Des exemplaires du grimoire passaient encore
de main en main au début du XXᵉ siècle, et un

Dès le début du
XIXᵉ siècle, des
commerçants du Caire
font le trafic des antiquités
qu'ils achètent aux
paysans. Ici, un sarcophage
avec sa momie et une
statue sont proposés à un
riche Égyptien.

conservateur égyptien du musée du Caire a pu affirmer, en 1900, que «cet ouvrage a ruiné plus de monuments que la guerre et les siècles», car les chercheurs de trésors n'hésitent pas à détruire au marteau ou au pic le mur ou la stèle qui, croient-ils, dissimule l'entrée de la cachette du trésor.

Au XIXᵉ siècle, voleurs et aventuriers agissent en toute impunité

Lorsque, après 1810, voleurs et aventuriers se mettent à dépouiller l'Égypte de ses monuments, ils suivent une longue tradition, et leur activité est grandement facilitée par le gouvernement de Méhémet Ali. Né en 1769 en Macédoine, alors province turque, Méhémet Ali fut incorporé dans un corps d'Albanais dont il devient le chef en 1803, quand les Anglais quittent l'Égypte. En 1805, le sultan turc le nomme gouverneur de l'Égypte. En 1811, il élimine, en les faisant massacrer, les mamelouks qui contestent son autorité. Leur assassinat dans la citadelle du Caire est resté célèbre.

A partir de ce moment, et bien qu'il reste en principe sous la tutelle du sultan de Constantinople qui l'a nommé vice-roi, Méhémet Ali règne seul sur l'Égypte qu'il décide de moderniser. Il engage alors de nombreux «techniciens», ou soi-disant tels, français, anglais, allemands, etc., afin de créer l'industrie qui manque à l'Égypte. C'est parmi ces étrangers, véritables aventuriers, que vont se recruter ceux qui, de 1810 à 1850, enlèveront à l'Égypte bon nombre de ses monuments.

Dans le commerce des antiquités qui va rapidement prospérer, les consuls étrangers établis en Égypte jouent un rôle de premier plan. Il y a à cela une explication simple : pour transporter les monuments convoités, ou pour fouiller, la main-d'œuvre locale est indispensable. Or, celle-ci, tout comme la terre, appartient au vice-roi, Méhémet Ali, propriétaire de l'Égypte entière. Il faut donc son autorisation pour recruter des ouvriers, autorisation accordée par un document écrit, le *firman* (mot emprunté au persan, qui signifie

Corps d'élite de l'armée turque, les cavaliers mamelouks étaient très riches et puissants. Avec Méhémet Ali, ils perdent tout pouvoir.

Méhémet Ali (1769-1849) combat les Français dans l'armée turque. Avec l'appui des mamelouks, il est nommé vice-roi d'Égypte en 1805. Initiateur de la modernisation de l'Égypte, il fait construire des usines, des casernes et des magasins mais contribue à la destruction de nombreux monuments anciens.

«ordre»). Dès lors, les consuls sont mieux placés que quiconque pour obtenir les firmans : ils peuvent rencontrer à leur gré le vice-roi qui lui-même a souvent besoin d'eux, ne serait-ce que pour faire venir d'Europe les machines nécessaires à l'industrie naissante.

Ainsi, des consuls généraux comme Anastasi pour la Suède et la Norvège, Drovetti, Minaut et Sabatier pour la France, Salt pour l'Angleterre, se font donner des firmans puis recrutent des agents parmi les aventuriers venus chercher fortune en Égypte, qui, en leur nom, fouillent ou achètent des antiquités et se chargent de les enlever.

Les collections du consul Drovetti sont exposées aujourd'hui au Louvre, à Turin et à Berlin

Drovetti, d'origine piémontaise, naturalisé français, avait combattu comme colonel lors de l'expédition de 1798. Au cours d'un engagement un peu chaud, il avait sauvé la vie de Murat, le futur beau-frère de Napoléon. Revenu en Égypte en 1803, comme vice-consul, il est nommé consul

Drovetti et son équipe, vers 1818. L'ex-consul de France tient un fil à plomb devant le visage d'un colosse.
Un Européen habillé à l'orientale s'adosse à la sculpture : c'est le Marseillais Jean-Jacques Rifaud. A droite, un Nubien à la chevelure caractéristique. Cette gravure figure dans le *Voyage dans le Levant*, de Forbin.

Ancien colonnel de l'armée française d'Égypte, Drovetti garde une allure martiale, porte moustache et favoris.

Les collections d'objets égyptiens des musées de Turin, Paris, Londres et Berlin proviennent en grande part des fonds constitués par Drovetti et Salt. Sur la très belle statue de granit noir de Thoutmosis III (1490-1436 av J.-C.) du musée de Turin, Rifaud a gravé, avec fautes d'orthographe, ''découvet par Jq Rifaud, sculpteur au cervice de M. Drovetti à Thèbes, 1818.'' Elle faisait partie de la première collection Drovetti, refusée par Louis XVIII.

général en 1810. Cette position lui permet de se lier avec
Méhémet Ali, de sorte que, lors de l'avènement de Louis
XVIII, en 1814, s'il perd son poste de consul général, il
reste en Égypte et, grâce à la faveur du vice-roi, poursuit
ses fructueuses opérations de trafiquant d'antiquités.
Les Bourbons, d'ailleurs, ne lui tiennent pas rigueur de son
bonapartisme, et il retrouve dès 1820 sa charge de consul
général, qu'il gardera jusqu'en 1829.

Drovetti participe personnellement à la recherche des
antiquités et dirige lui-même les opérations; toutefois,
ce sont surtout ses agents, fort peu scrupuleux et protégés
par le firman, qui pillent sans vergogne. Le plus habile est
Jean-Jacques Rifaud, sculpteur marseillais en quête
d'aventure, qui restera quarante ans en Égypte. Rifaud
n'hésite pas à graver son nom, en beaux caractères
d'ailleurs, sur les statues égyptiennes qu'il procure à
Drovetti. Au cours des querelles entre ouvriers travaillant
les uns pour Drovetti, les autres pour Salt, «vif comme la
poudre et rouge comme un coq, Rifaud se jette entre les
camps hostiles, déverse sur eux des torrents d'éloquence, et
finalement une pluie de coups de bâton puisqu'ils
s'obstinent à ne pas comprendre le provençal».

Année après année, les antiquités s'amoncellent dans
la cour du consulat. Lorsqu'il pense en avoir assez,
Drovetti propose à Louis XVIII de les acheter pour le

En quarante ans de vie
en Égypte, Rifaud
exécute quelque 4 000
dessins, tels ceux de ce
sarcophage et de ces
bateaux sur le Nil.

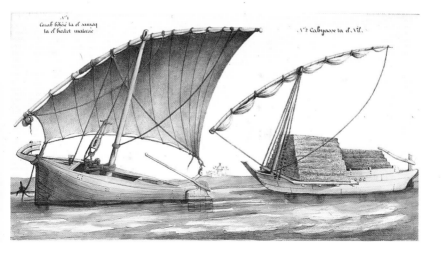

musée du Louvre, mais le roi refuse, trouvant le prix excessif, et cette première collection Drovetti est finalement achetée 400 000 lires par le roi de Piémont, Charles-Félix. Le musée de Turin devient ainsi le premier musée d'Europe à posséder une collection égyptienne de très grande qualité, avec entre autres pièces magnifiques : les statues, intactes, d'Aménophis Iᵉʳ, de Thoutmosis Iᵉʳ, de Thoutmosis III, d'Aménophis II, un sphinx d'Aménophis III, et surtout la grande statue de granit de Ramsès II assis, qui figure dans toutes les histoires de l'art égyptien ; sa base porte l'inscription : «Drt (découvert) par J. Rifaud au service de M. Drovetti, à Thèbes, 1818.» La collection compte plus de mille objets et monuments, sur lesquels, en 1825, Champollion vint vérifier l'exactitude de sa lecture des hiéroglyphes.

Satisfait du résultat de sa première opération commerciale, Drovetti continue ses fouilles et réunit une deuxième collection. Il la propose à la France. Conseillé par Champollion, le roi Charles X l'achète, 200 000 francs, pour le musée du Louvre dont elle constitue en grande partie le fonds égyptien. Parmi les pièces de premier ordre ainsi acquises, figure

Sans moyens de traction ni de levage, mais en employant des centaines de fellahs − les paysans égyptiens − , les chercheurs d'antiquités parvenaient à déplacer jusqu'au Nil des blocs de plusieurs tonnes. Une fois près du fleuve, les monuments étaient chargés sur des bateaux et descendaient jusqu'à Alexandrie, où des navires les rapportaient en Europe.

la coupe en or massif du général Thoutii, un chef-d'œuvre de l'orfèvrerie égyptienne.

Continuant ses recherches, Drovetti réunit une troisième collection, qui est achetée, en 1836, par le roi de Prusse, sur les conseils de l'égyptologue Lepsius. Moins importante que les deux premières, elle ne coûta que 30 000 francs; elle était néanmoins très belle.

En récompense de ses exploits en Palestine (vers 1455 av. J.-C.), Thoutmosis III offrit au général Thoutii cette coupe en or, que l'on peut voir au musée du Louvre. D'après un conte populaire égyptien, il avait pris la ville de Jaffa en dissimulant ses soldats dans des jarres. Cette histoire est sans doute à l'origine du conte arabe *Ali Baba et les Quarante Voleurs.*

Avec Henry Salt, des milliers d'objets quittent également l'Égypte

Pendant que Drovetti s'active à Thèbes et à Tanis, Salt ne perd pas son temps. Artiste peintre, il a, dès 1802, parcouru l'Orient pour illustrer les livres que de riches voyageurs publiaient à leur retour en Angleterre.

Pendant son séjour au Soudan, en 1844, Lepsius, avec l'aide de 92 paysans nubiens et les mêmes méthodes que Belzoni, fait enlever du grand temple d'Amon, au Gebel Barkal, une statue monumentale de bélier représentant Amon le dieu protecteur d'Aménophis II (vers 1450 av. J.-C.). Elle est aujourd'hui au musée de Berlin.

Il séjourne ainsi de 1809 à 1811 en Abyssinie, pays alors
particulièrement difficile d'accès. Nommé consul
d'Angleterre en Égypte en 1816, il suit aussitôt l'exemple
de Drovetti. Il reste plus souvent que celui-ci au Caire,
mais il est puissamment aidé par des agents au moins aussi
actifs, sinon plus, que ceux du consul français. Parmi eux
un Grec de Lemnos, Athanasi, plus connu des voyageurs
de l'époque sous le nom de Yanni, et surtout
l'extraordinaire Jean-Baptiste Belzoni. Salt réunit ainsi une
première collection dès 1818, qu'il offre contre paiement
au British Museum. Celui-ci achète mais en marchandant
sur le prix et il ne propose que 2 000 livres, ce qui ne
représente même pas le coût des fouilles et du transport.
Salt retire alors la plus belle pièce de l'ensemble, le
sarcophage en albâtre de Seti I, et la vend à un particulier,
Soane, pour le même prix que tout le reste
de la collection.

   Salt réunit ensuite une deuxième collection,
beaucoup plus importante que la première. Il la propose

Avant de devenir
consul général
d'Angleterre, Henry
Salt (1780-1827)
était peintre.

d'abord au British Museum, mais sans doute rebuté par l'attitude de ses compatriotes, ne fait aucune difficulté pour la vendre en 1824 à Charles X, pour la somme de 10 000 livres (250 000 francs). La collection Salt, en s'ajoutant à la deuxième collection Drovetti, fait du musée du Louvre l'égal de celui de Turin. La collection figure sur les inventaires du musée pour 4 014 pièces, parmi lesquelles on note : un pan de mur couvert d'inscriptions provenant de Karnak, le sarcophage en granit rose de Ramsès III (l'un des monuments que Drovetti ne se console pas de s'être vu enlever par Belzoni), deux grands sphinx en granit, et le naos, de granit également, du temple de Philae.

Comme Drovetti, Salt réunit une troisième collection, mais elle ne sera vendue qu'après sa mort en Égypte, en 1827. Elle comporte encore 1 083 objets qui, pour la plupart, seront achetés par le British Museum.

Une visite rapide aux musées, celui du Louvre comme ceux de Turin et de Londres, montre que les consuls et leurs agents recherchaient de préférence les monuments

Il illustre en 1802 les *Voyages and Travels* de Lord Valentia. On lui doit cette très belle vue du Caire, la ville aux mille minarets, dans les années 1820. Au premier plan, la grande mosquée du sultan Hassan (XIVᵉ siècle), celle d'Èl Mahmoudieh et celle de l'émir Akhor (XVIᵉ siècle). La vue est prise de la citadelle.

les plus impressionnants, ceux de grandes dimensions, le plus souvent de granit : obélisques, sphinx, cuves de sarcophages, statues colossales. Ces monuments sont d'un poids énorme, il faut les sortir de l'endroit où ils se trouvent, souvent de tombes profondément creusées dans le rocher, puis les amener sur la rive du Nil et les hisser sur de simples felouques ; tout cela sans aucun moyen mécanique, ni palan, ni grue par exemple. Arrivés enfin à Alexandrie, il faut encore les mettre à bord de vaisseaux à voile de faible tonnage − les bateaux à vapeur, en effet, n'apparaîtront qu'après 1830.

Giovanni Belzoni, l'homme des missions impossibles

Le maître incontesté de ces difficiles opérations est l'Italien Belzoni, principal agent de Salt. Comme Vivant Denon, Belzoni est un personnage hors du commun. Né à Padoue en 1778, il part pour Rome à seize ans pour gagner sa vie. Il pense se faire moine lorsque, en 1798, les troupes françaises entrent dans Rome. Il va alors à Londres où il devient saltimbanque. Il est très grand, plus de deux mètres, dit-on, et d'une force prodigieuse : les affiches du théâtre où il est exhibé le présentent comme le «Samson patagon». Il apparaît sur scène déguisé en Patagon, des plumes sur la tête, et en fin de spectacle, on le voit portant un bâti métallique sur lequel douze personnes se tiennent debout, c'est la «pyramide humaine».

Belzoni à Londres en 1803 dans le rôle du «Samson de Patagonie». On le voit ci-dessous, en costume turc, en 1820.

Après l'Angleterre, il passe au Portugal, puis en Espagne. On le retrouve en 1814, à Malte, où un agent de Méhémet Ali lui suggère de venir en Égypte où ses connaissances en hydraulique, qu'il a acquises on ne sait comment, pourraient être utiles. Accompagné de sa femme et d'un domestique irlandais, il débarque donc cette même année en Égypte et fait aussitôt connaissance avec Drovetti et Burckhardt.

Pendant deux ans, Belzoni travaille à mettre au point et monter une machine hydraulique de son invention, destinée à faciliter l'irrigation. Il la présente à Méhémet Ali ; mais bien que

G. BELZONI Esqʳᵉ

cet appareil fournisse, dans le même temps, six fois plus d'eau que la *saquieh* traditionnelle, Méhémet Ali, circonvenu par son entourage, refuse de l'acquérir. C'est l'échec total pour Belzoni qui se retrouve sans ressources.

C'est le moment où Salt est nommé consul général d'Angleterre en Égypte. Avant son départ de Londres, un riche collectionneur, membre du conseil d'administration du British Museum, Bankes, lui a demandé de profiter de sa situation officielle pour constituer des collections d'antiquités, tant pour lui-même que pour le musée britannique.

Par ailleurs, Burckhardt, le voyageur suisse, au cours d'un séjour en Haute Égypte, a remarqué dans ce que les savants français avaient baptisé le Memnonium, c'est-à-dire le Ramesseum, une tête colossale de pharaon qui gît devant le temple. Les paysans affirment que les Français ont en vain essayé de l'emporter. Burckhardt a suggéré à Méhémet Ali d'offrir ce monument au prince régent d'Angleterre, mais le vice-roi s'est refusé à croire qu'un prince quelconque pût lui être reconnaissant du cadeau d'une pierre ! L'affaire en était restée là, mais Burckhardt en parle à Bankes d'abord, puis à Belzoni.

Du Ramesseum de Karnak au British Museum de Londres, le long voyage d'un buste de pharaon

Après l'échec de sa roue hydraulique, privé de moyens de subsistance, Belzoni se rappelle tout à coup la tête du Memnonium : n'y aurait-il pas là le moyen de gagner quelque argent ? Accompagné de Burckhardt, il se rend chez Salt qui voit dans l'opération la possibilité de satisfaire Bankes. Il avance donc à Belzoni l'argent nécessaire au déplacement, mais aussi une somme destinée

Dans un ouvrage destiné à l'édification de la jeunesse, Belzoni raconte les péripéties de sa vie : comment il présente sa machine hydraulique à Méhémet Ali ; comment, à l'aide d'une machine de Faraday qu'il vient de réparer, il donne une décharge électrique à Méhémet Ali qui saute en l'air.

66 La nouvelle machine commença d'opérer ; quoique construite en mauvais bois et en fer qui ne valait pas davantage, elle aurait pu tirer six à sept fois autant d'eau que les machines ordinaires. Le pacha, l'ayant considérée longtemps, décida qu'elle tirait seulement le quadruple. On fit la comparaison, en mesurant la quantité d'eau produite par ma machine, et celle que fournissaient six des leurs. Mais les Arabes forçaient le travail de leurs bêtes de somme, au point que celles-ci n'auraient pu continuer au-delà d'une heure sur ce pied : aussi eurent-ils le double de la quantité d'eau ordinaire. (...) L'entreprise en resta là, et il ne fut plus question des stipulations que j'avais faites, ni même des indemnités auxquelles j'avais droit de prétendre. 99

Belzoni,
Voyages en Égypte et en Nubie

à l'achat de toutes les antiquités qu'il pourra découvrir.

Pourvu du firman l'autorisant à réquisitionner les ouvriers nécessaires, Belzoni part de Boulak, le port fluvial du Caire, à la fin de juin ; il n'arrive à Thèbes que le 22 juillet, et se rend aussitôt au Ramesseum. «Mon premier désir en me trouvant au milieu de ces ruines, ce fut d'examiner le buste colossal que j'avais à enlever. Je le trouvai auprès des débris du corps et du siège auxquels il était autrefois joint. Le visage était tourné vers le ciel, et on aurait dit qu'il me souriait à l'idée d'être transporté en Angleterre. Sa beauté surpassa mon attente, plus que sa grandeur.»

Il commence les préparatifs pour l'enlèvement. «Les seuls objets que j'eusse apportés du Caire au Ramesseum pour nos travaux consistaient en quatorze leviers, dont huit furent employés à faire une sorte de brancard pour le transport du buste ; en quatre cordes de feuilles de palmier, et en quatre rouleaux, sans aucune machine quelconque.»

Le 24 juillet, muni de son firman, il demande au *cachef* (gouverneur de la région) les quatre-vingts ouvriers

66 Ce jour-là nous fîmes sortir le buste des ruines du Ramesseum et nous l'avançâmes d'environ vingt-cinq toises (48 m). Pour lui frayer un passage, nous fûmes obligés de briser des bases de colonne. Le soir je me portai bien mal, j'allai me reposer mais mon estomac refusa tous les aliments. Je m'aperçus alors de la différence qu'il y a entre les voyages en bateau au milieu de tout ce dont on a besoin, et la direction d'une entreprise pénible sous un soleil brûlant. 99

Belzoni,
Voyages en Égypte et en Nubie

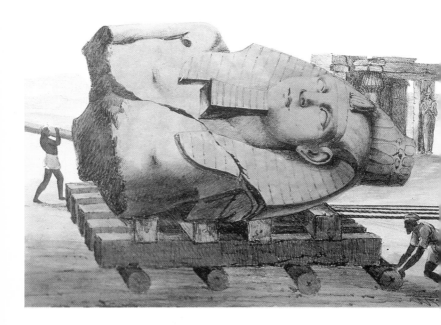

dont il a besoin. Le cachef fait observer qu'il n'y a pas d'ouvriers disponibles et qu'il vaut mieux attendre la fin de l'inondation.

Belzoni insiste et arrache enfin la promesse que des hommes lui soient fournis pour le lendemain, contre récompense au cachef. Le lendemain, point d'ouvriers. De nouveau, ce sont palabres, promesses, cadeaux. Le 27 juillet enfin, quelques hommes arrivent, mais leur nombre est insuffisant. «Cependant, quand d'autres les virent travailler avec permission, ils se laissèrent aisément persuader à suivre leur exemple. Le charpentier avait construit un brancard, et il s'agissait d'abord de placer le buste dessus. Les fellahs de Gournah, qui connaissaient bien le Caphany (nom qu'ils donnaient au colosse), s'imaginaient qu'il ne pourrait jamais être enlevé du lieu où il gisait, et lorsqu'ils le virent bouger, ils poussèrent un cri de surprise. Quoique ce mouvement fût l'effet de leurs propres efforts, ils en firent honneur au diable ; et me voyant ensuite prendre des notes, ils pensèrent que l'opération se faisait par le moyen de quelque charme... Par le moyen de quatre leviers, je fis soulever le buste au point de pouvoir passer en dessous une partie du brancard,

Belzoni était aussi un excellent dessinateur, ce qui lui permettait de rendre compte au jour le jour de ses activités, non seulement dans des notes de voyages, mais dans de magnifiques aquarelles dont les éditeurs tiraient, ensuite, des séries de lithographies.

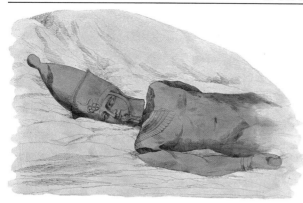

66 Le soir, en revenant de Gournah, j'appris qu'ils avaient découvert une tête colossale, plus grande que celle que j'avais transportée à Alexandrie pour être envoyée en Angleterre. Elle était de granit rouge, d'un beau travail, et parfaitement conservée, à l'exception d'une oreille et d'une partie du menton qui avait été abattu avec la barbe. Au bas du cou ce fragment de colosse avait été séparé des épaules. Il était coiffé de la mitre ou mesure de grains. Dans huit jours de temps je l'eus fait transporter à Louqsor, quoique la distance fût un peu au-delà d'un mille. 99
Belzoni,
Voyages en Égypte et en Nubie

et, quand le bloc y fut appuyé, je fis lever le devant du brancard même pour mettre en dessous un des rouleaux. La même opération fut exécutée ensuite sur le derrière, et quand le colosse se trouva au milieu du brancard, je le fis bien attacher... Enfin je mis des ouvriers sur le devant pour tirer les cordes, tandis que la besogne d'autres ouvriers consistait à changer de rouleaux ; ainsi je réussis à faire avancer le bloc de quelques toises (la toise vaut un peu moins de 2 mètres) de l'endroit où il avait été trouvé. Conformément à mes instructions, j'expédiai un Arabe pour le Caire, avec la nouvelle que le buste était en route pour l'Angleterre.

L e colosse de Ramsès II (à gauche) est aujourd'hui dans la grande salle d'égyptologie du British Museum, non loin de la Pierre de Rosette.

K arnak. Colosse découvert par Belzoni et colonnade du temple. Belzoni est attiré par le grand temple d'Amon : «A Karnak ce sont d'immenses colonnes qui s'emparent de l'imagination des voyageurs et les forcent d'admirer le peuple qui a su élever des monuments de ce genre. Comment décrire les sensations que j'éprouvais à la vue de cette forêt de colonnes ?»

Grâce au récit que Belzoni a laissé dans ses *Voyages en Égypte et en Nubie,* on peut suivre jour par jour la progression vers le Nil, progression lente, difficile, irrégulière : il faut dix jours pour parcourir 620 toises, c'est-à-dire à peine plus de 1 200 mètres ! Le 5 août, enfin, on touche presque au but. Belzoni s'en réjouit :
« En conséquence, je me rendis ce jour-là [le 6] de bonne heure sur les lieux, mais, à ma grande surprise, je n'y trouvai que les gardes et le charpentier qui m'apprit que le *caïmakam* (sous-gouverneur) avait défendu aux fellahs de travailler plus longtemps pour les ''chiens de chrétiens''. »

L'incident est sérieux. En effet, l'eau peut monter d'un jour à l'autre, et le buste resterait alors immobilisé pendant plusieurs mois. Belzoni ne perd pas de temps. Il va à la recherche du caïmakam, lui demande des explications.

Le caïmakam affirme que l'ordre d'arrêt du travail vient du cachef en personne. Belzoni va aussitôt trouver ce dernier. Après explications et nouveau cadeau de « deux beaux pistolets anglais », il obtient l'ordre écrit permettant la reprise du travail. Le 7 août, les ouvriers reviennent, et le 12, enfin, le buste de Ramsès II atteint heureusement

Au XIXe siècle, les ruines de Karnak, dans un désordre indescriptible, donnent libre accès aux pillages : statues et bas-reliefs sont à qui peut ou veut les prendre. Drovetti et ses agents, Belzoni pour le compte de Salt, s'affrontent ouvertement, parfois avec violence. Un jour qu'il traverse le temple à dos d'âne, Belzoni est malmené par les gens de Drovetti. Il ne doit le salut qu'à l'intervention de Drovetti lui-même.

le bord du Nil. Reste à le mettre sur une barque pour l'envoyer au Caire. En attendant un bateau de taille suffisante, Belzoni profite de l'inaction forcée pour visiter les tombes de la vallée des Rois — Puis il se rend en Nubie et voit Abou Simbel : il se promet d'y pénétrer un jour. Il visite Philae, où il prend possession d'un petit obélisque, au nom de Salt. Revenu à Louqsor en novembre, la barque demandée n'est pas là, il traite alors avec des bateliers qui, pour trois mille piastres (1 800 francs), s'engagent à fournir le bateau. Pendant les préparatifs, il fouille à Karnak, y découvre dix-huit statues à tête de lion (la déesse Sekhmet), une statue royale, des sphinx, qu'il emportera avec le buste.

Le 17 novembre, enfin, l'embarquement du buste est effectué, à la stupéfaction des Arabes de Gournah qui s'attendaient à le voir sombrer dans l'eau, avec le bateau.

A côté des grands aventuriers que sont les Drovetti, Salt, Belzoni, Rifaud et autres, attirés par l'argent, il en est d'autres plus discrets, moins connus, mais non moins efficaces. Ils achètent aux Arabes qui, eux se passent de firmans et fouillent clandestinement.

Le dessin de Belzoni montre la confusion des ruines de Karnak. On a peine à reconnaître, au premier plan, le premier pylône ; à gauche, la colonne de Taharqa et le deuxième pylône ; à droite le temple de Ramsès III et la succession des pylônes qui jalonnent la route de Louqsor.

Belzoni à Abou Simbel

Abou Simbel avait été découvert par Burckhardt en 1813. Enthousiasmé par ses descriptions, Belzoni décide de s'y rendre à son tour pour être le premier à pénétrer à l'intérieur. En septembre 1815, son bateau s'arrête face aux temples. Il exécute ce dessin, sur lequel on voit, à droite, le petit temple, reconnaissable aux six figures colossales qui bordent sa façade et, à mi-hauteur de la falaise, le grand temple. Un récit rend compte de ses impressions : «Le sable accumulé par le vent du côté nord sur le rocher qui domine le temple a coulé peu à peu vers la façade et a enseveli l'entrée aux trois-quarts. Quand j'approchai de ce temple, je perdis tout à coup l'espoir d'en déblayer l'entrée ; car les monceaux étaient tels que je ne voyais pas de possibilité d'arriver jamais jusqu'à la porte. »

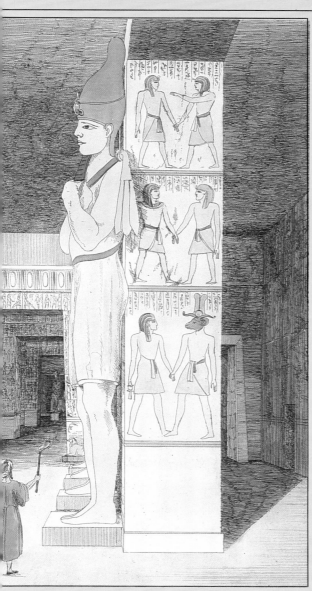

Le grand temple livre son secret

L e pessimisme de 1815 ne dure pas. Belzoni retourne sur les lieux l'année suivante accompagné de trois Anglais et décidé à dégager le temple. Au bout de trois semaines de travail, les quatre hommes découvrent la porte du temple et se glissent à l'intérieur : «A notre premier coup d'œil nous fûmes étonnés de l'immensité du souterrain ; mais notre surprise fut extrême quand nous nous trouvâmes entourés d'objets d'art magnifiques de toute espèce, de peintures, de sculptures, de figures colossales.» Il décrit les trois salles axiales et leur décor aux couleurs éclatantes puis note : «La chaleur était si forte que nous avions beaucoup de peine à y faire quelques esquisses.» La température en effet est de 44°C. Faute de vivres, Belzoni et ses compagnons quittent Abou Simbel le 3 août. Ils emportent en souvenir «deux lions à tête de faucon, grandeur nature, une petite statue assise et quelques fragments de cuivre qui avaient appartenu aux portes.» En réalité, Belzoni est déçu : d'un temple inviolé pendant tant de siècles il avait espéré des trésors merveilleux.

Dans la tombe de Séti Ier

Même des tombes
quittent l'Égypte
mais pour une fois...
ce sont des copies. Après
avoir découvert dans la
vallée des Rois la tombe de
Séti Ier et son magnifique
sarcophage d'albâtre,
Belzoni a l'idée de faire
copier avec exactitude
les peintures qui ornent
la tombe. Exposées à
Londres, ces reproductions
en couleurs et grandeur
nature attirent une foule si
considérable que le «Titan
de Padoue», comme on
l'appelle en France, décide
de les exposer à Paris.
Curieuse coïncidence :
le chaland qui les
transporte à travers Paris
passe devant l'Institut
le 27 septembre 1822,
à l'heure même où
Champollion lit à
l'Académie la lettre dans
laquelle il annonce que les
hiéroglyphes ne sont plus
un mystère : il les
comprend. Installée
boulevard des Italiens,
l'exposition de la tombe de
Séti Ier connaît le même
succès à Paris qu'à
Londres ; Champollion
lui-même ira y copier des
textes.
Avec son livre traduit en
français et publié en 1821,
qui raconte ses travaux
en Égypte et en Nubie,
Belzoni éveille l'attention
des esprits curieux : sans le
savoir, il aide Champollion
à obtenir les crédits
nécessaires à son voyage
en Égypte.

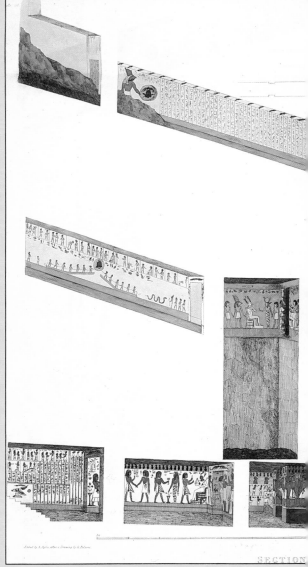

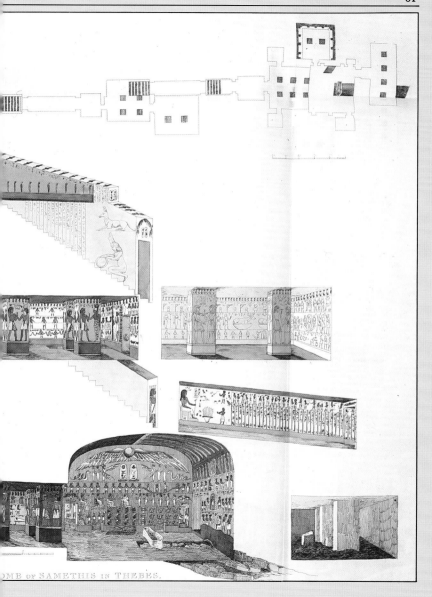

TOMB OF SAMETHIS IN THEBES.

Ainsi se constituent les collections de papyrus, aussi importantes pour l'égyptologie que les monuments amassés pour les grands musées.

Enfin, on ne saurait oublier les travaux des voyageurs désintéressés qui, à la même époque, parcourent le pays. Ils décrivent et dessinent monuments, temples et tombes que pillent les aventuriers. Leurs relevés apportent une aide précieuse aux recherches des savants restés en Europe. Tels sont les Français Cailliaud, Forbin, Linant de Bellefonds, Gau, Huyot ; les Anglais Bankes, Barry, Hay, Burton, Hoskins, Roberts, Lane ; le Suisse Burckhardt ; l'Italien Finati ; le Suédois Cronstrand, etc.

Le pillage, le vol des antiquités, au début du XIXᵉ siècle, a été un scandale. Pourtant, s'il a détruit, il a aussi beaucoup sauvé. De 1810 à 1828, treize temples entiers ont disparu : leurs pierres ont servi à la construction d'usines, ou bien ont été brûlées dans les fours à chaux. Nul ne saura jamais combien de statues et de bas-reliefs ont subi le même sort ; ceux qui furent enlevés par les aventuriers furent au moins sauvés.

Les peintures et les dessins exécutés par l'Écossais David Roberts (1796-1864) lors de son séjour dans la vallée du Nil, constituent un excellent témoignage de l'état des monuments d'Égypte et de Nubie en 1838 et 1839. Ses aquarelles gardent les couleurs, aujourd'hui disparues, des temples égyptiens. A gauche : partie du petit temple ptolémaïque de Deir el Medineh, à Thèbes ; à droite : entrée du temple d'Hathor à Denderah encore partiellement enfoui dans les décombres.

A u retour d'un long voyage en Égypte en 1838, l'architecte français Hector Horeau publie un *Panorama d'Égypte et de Nubie.* Sur cette planche, sans aucun respect pour les distances qui les séparent, il représente les monuments principaux de l'Égypte, de la colonne de Pompée à Alexandrie, en bas, jusqu'à Philae, en haut, en passant par les pyramides, Karnak et Edfou.

En 1820, grâce aux récits des voyageurs, aux relevés des peintres et surtout au travail des savants de l'expédition de Bonaparte, le nombre des monuments égyptiens répertoriés s'est considérablement accru. De multiples fragments d'architecture, des statues, des objets et même des documents écrits, papyrus ou estampages de bas-reliefs, ont été rapportés en Europe. Le temps est venu de les « faire parler », et de faire ainsi revivre totalement l'Égypte ancienne.

CHAPITRE V
L'ÈRE
DES SAVANTS

Après des années de travail, Champollion parvient à déchiffrer l'écriture hiéroglyphique. Quelques années plus tard, il part pour l'Égypte : lorsqu'il voit Abou Simbel, le grand temple a encore toutes ses couleurs vives, comme sur cette figure de Ramsès II rendant hommage aux divinités.

En effet, les savants qui se penchent sur ces vestiges se heurtent à un obstacle de taille : ils ne comprennent pas les hiéroglyphes ; les textes qui accompagnent bas-reliefs et peintures restent pour eux lettre morte, ce qui cause de nombreuses méprises, notamment lorsqu'ils cherchent à dater temples et monuments.

Une séance à l'Institut d'Égypte : Bonaparte y fait son entrée. Dans sa suite on remarque, reconnaissable à sa jambe de bois, le général Caffarelli.

Tant que le mystère de l'écriture subsiste, il ne peut être question de connaissance réelle de l'Égypte : la pierre de Rosette fournira la clef de l'énigme

En août 1799, un officier du Génie, Pierre Bouchard, surveille des travaux de terrassement pour la construction du fort Julien, près de Rosette. Il remarque, dans un vieux mur que ses hommes démolissent, une pierre noire et couverte d'inscriptions. Il alerte son chef, le général Menou, qui donne l'ordre de transporter la pierre à Alexandrie. Les savants peuvent alors l'examiner à loisir. Il s'agit d'une stèle comportant trois parties : en haut, un texte gravé en caractères hiéroglyphiques ; au centre, un texte en caractères cursifs rappelant un peu l'arabe ; en bas, un texte en caractères grecs. Les hellénistes de l'expédition traduisent celui-ci, qui est la copie d'un décret de Ptolémée V (196 av. J.-C.), mais surtout, ils supposent aussitôt que le texte grec est la traduction des deux premiers, et donc susceptible de fournir la clef de l'écriture hiéroglyphique. Ils ne se trompent pas.

Les ruines de Memphis en 1798 avec, au fond, les pyramides de Gizeh. Au premier plan, la main d'une statue colossale qu'un ingénieur français a fait placer sur des madriers pour la transporter. Ses aides prennent des mesures. C'est l'une des gravures de la *Description de l'Égypte*, montrant une scène de la vie quotidienne des savants.

Lors de la capitulation des troupes françaises, les savants cherchent à sauver la pierre de Rosette, mais Hamilton, un diplomate anglais, découvre qu'elle a été cachée sur un bateau en partance pour la France. A la tête d'un détachement militaire, il s'en saisit comme butin de guerre. Elle se dresse aujourd'hui à l'entrée des salles égyptiennes du British Museum de Londres.

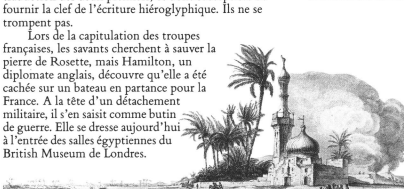

Fort heureusement, conscients de son importance, les savants français en ont pris des estampages et de nombreuses copies. C'est ainsi qu'un certain capitaine Champoléon en montre une copie à son jeune cousin, Jean-François Champollion, âgé d'une douzaine d'années.

Intrigué par les figures étranges des textes hiéroglyphiques, Champollion se promet de les déchiffrer et, dès lors, oriente toute sa vie sur l'Égypte et son histoire

Jean-François Champollion est né en 1790 à Figeac. C'est son frère aîné, Jacques-Joseph, connu par la suite sous le nom de Champollion-Figeac, qui s'occupe entièrement de son éducation. Il ne l'envoie pas à l'école, mais lui fait lire tous les livres qu'il peut trouver, quel qu'en soit le sujet. Nommé secrétaire particulier du préfet de l'Isère, Fourier, il fait obtenir une bourse pour le lycée de Grenoble à Jean-François, âgé de douze ans. Fourier est un ancien de l'expédition et le secrétaire de l'Institut d'Égypte. Il a dirigé les deux missions chargées de relever les monuments de Haute Égypte. Champollion-Figeac, lui, n'a pas réussi à faire partie de l'expédition, mais reste passionné de l'Égypte. Élevé dans un milieu où l'on parle constamment de l'Égypte, le jeune Champollion ne peut qu'être confirmé dans son intention d'être celui qui, le premier, déchiffrera les hiéroglyphes.

Pensionnaire au lycée de Grenoble, il ne prend des programmes que ce qui lui plaît. Il se refuse par exemple à étudier l'arithmétique ; en revanche, à treize ans, en plus du latin et du grec obligatoires, il se met à apprendre l'hébreu, l'arabe, le syriaque et le chaldéen (ou araméen). Cet acharnement à l'étude des langues orientales a un but précis : l'Égypte. La Bible, dans son texte hébreu comme dans la version grecque des *Septante,* est alors une des grandes sources de l'histoire de l'Égypte pharaonique ; le syriaque et l'araméen font partie de la tradition biblique ; l'arabe, enfin, est parlé par les habitants de la vallée du Nil, et les historiens et géographes arabes ont perpétué le souvenir de l'Égypte ancienne.

Ses études classiques achevées à dix-sept ans, en 1807, Jean-François est envoyé par son frère à Paris. Il y poursuit pendant deux ans l'étude des langues orientales auxquelles il ajoute le persan et surtout le copte. Déjà il est persuadé que le copte n'est autre que l'égyptien ancien écrit en caractères grecs. Il en est même obsédé, il écrit à son frère : «Mon copte va toujours son train et j'y trouve de grandes jouissances... Je suis si copte que, pour m'amuser, je traduis en copte tout ce qui me vient à la tête... Je veux savoir l'égyptien comme mon français parce que sur cette langue sera basé mon grand travail sur les papyrus égyptiens.» Le mot lui a échappé, «mon grand travail», c'est le déchiffrement des hiéroglyphes. Il a alors dix-huit ans.

Revenu à Grenoble, Jean-François passe son doctorat ès lettres et est nommé secrétaire de la faculté des lettres, puis, à dix-neuf ans, professeur suppléant d'histoire ancienne. Il commence son premier grand ouvrage, au titre interminable selon l'usage de l'époque : *L'Égypte sous les pharaons ou Recherches sur la Géographie, la Religion, la Langue, les Écritures et l'Histoire de l'Égypte avant l'invasion de Cambyse.* Vaste entreprise, dont il n'achèvera que la première partie, la description géographique (parue en 1814).

Il a vingt-quatre ans et commence à être connu, lorsque sa carrière est soudain menacée. Napoléon s'évade de l'île d'Elbe, et Grenoble est une des premières villes à se rallier à lui. On murmure que c'est Jean-François Champollion qui escalade le nid d'aigle de la citadelle pour

❝Le lundi à 8 heures et quart, je pars pour le Collège de France, où j'arrive à 9 heures (...). Je suis le cours de persan de M. de Sacy jusqu'à dix. En sortant du cours de persan, comme celui d'hébreu, de syriaque et de chaldéen se fait à midi, je vais de suite chez M. Audran (...). Nous passons ces deux heures à causer langues orientales, à traduire soit hébreu, syrien, chaldéen ou arabe, et nous consacrons toujours une demi-heure à travailler la grammaire chaldéenne et syriaque.
À midi, nous descendons et il fait son cours d'hébreu. Il m'appelle le patriarche de la classe, parce que je suis le plus fort. En sortant de ce cours à 1 heure, je traverse tout Paris et je vais à l'École spéciale suivre à 2 heures le cours de M. Langlès, qui me donne des soins particuliers : nous parlons aux soirées.❞
Paris, le 26 décembre 1807

En dehors des *Livres des morts,* rares sont les papyrus illustrés. Sur ce bel exemplaire, le grand papyrus Harris, du British Museum, Ramsès III s'adresse aux dieux de Karnak : Amon, Mout et Khonsou. Les textes sont en hiéroglyphes.

en arracher le drapeau blanc des Bourbons. Les deux frères sont présentés à Napoléon qui encourage Jean-François à publier le *Dictionnaire copte* qu'il vient d'achever.

Ce ralliement spectaculaire à l'Empire ne fut pas du goût de Louis XVIII qui, après Waterloo, destitue les deux Champollion de leurs fonctions officielles. Exilés à Figeac, ils ouvrent, pour gagner leur vie, une école privée où ils expérimentent les nouvelles méthodes d'éducation venues d'Angleterre. Cela n'avance guère le déchiffrement des hiéroglyphes.

Grâce à l'intervention d'amis parisiens, Jean-François est réintégré dans son poste de Grenoble en 1818. Pour peu de temps : en 1821, des troubles éclatent dans la ville, et le jeune homme y prend part. Le voici de nouveau destitué.

Il se réfugie à Paris, auprès de son frère, qui est secrétaire particulier de Dacier, un helléniste, secrétaire perpétuel de l'Académie des Inscriptions et Belles-Lettres. Son exil à Paris lui permet de se consacrer à ses recherches, et de trouver des documents qui lui manquaient en province.

Page d'un papyrus hiératique semblable à ceux que Champollion voit et déchiffre à Turin en 1824.

Précédé d'un soldat et accompagné de son léopard apprivoisé, Séti Ier, debout dans son char de guerre, conduit le défilé des prisonniers capturés au cours d'une guerre dans les «pays de Kouch» (Soudan). Cette fresque d'Abou Simbel est reproduite dans l'ouvrage de Champollion, *Monuments de l'Égypte et de la Nubie.*

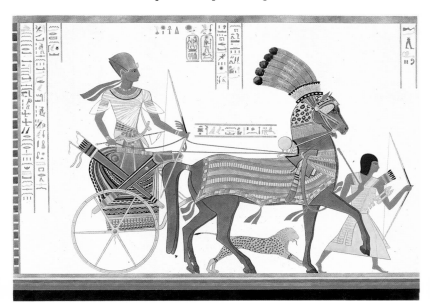

Dans l'aventure du déchiffrement, Champollion a trois concurrents redoutables : l'Anglais Young, Akerblad le Suédois et le Français Sylvestre de Sacy

Des trois, c'est Young le plus dangereux. Comme Champollion, il a été un enfant précoce : à quatorze ans, il connaissait déjà le grec, le latin, le français, l'italien, l'hébreu, l'araméen, le syriaque, l'arabe, le persan, le turc et l'éthiopien ! Toutefois, il n'a pas d'idée fixe contrairement à Jean-François. Sans abandonner la linguistique, il fait sa médecine et exerce à Londres, fait de la botanique, s'intéresse à la physique et acquiert la célébrité avec sa théorie de la propagation ondulatoire de la lumière.

Young, Akerblad, Sacy, Champollion, tous quatre appuient leurs recherches sur la pierre de Rosette, dont chacun possède une copie. A première vue, le problème paraît simple : étant donné un texte connu − la version grecque de la pierre −, il s'agit de retrouver la place et la nature des mots correspondants dans les versions hiéroglyphique et démotique. Et pourtant, vingt ans après la trouvaille de la pierre de Rosette, aucun d'eux n'a réellement progressé. En 1802, Akerblad sait déchiffrer quelques mots de la version démotique, de même que Sylvestre de Sacy. Young, pour sa part, en 1819, donne l'interprétation correcte d'une dizaine de mots, mais il se trompe dans d'autres interprétations.

Champollion suit avec fièvre les travaux de ses concurrents, dans la crainte qu'ils ne le devancent. Aussi est-il souvent injuste à leur égard : il qualifie les découvertes de Young de «ridicule forfanterie», et affirme d'Akerblad qu'il ne pourrait «lire trois mots dans une inscription égyptienne».

En fait, malgré son ironie, Champollion, en 1820, n'est guère plus avancé. Tous butent sur une question de principe : l'écriture égyptienne est-elle idéographique, chaque signe correspondant à une idée, ou bien phonétique, chaque signe représentant alors un son comme dans nos langues modernes ?

Ce n'est que le 14 septembre 1822 qu'il comprend que l'égyptien est à la fois idéographique et phonétique. Désormais, Champollion ne pense qu'à approfondir sa découverte. Il lit le plus de textes qu'il peut : il part à Turin, où la collection Drovetti est maintenant accessible ;

Thomas Young essaie de traduire la pierre de Rosette en 1819. Il dispose en parallèle l'un au-dessus de l'autre, les textes démotique et hiéroglyphique, pour mieux les comparer. Malgré des observations justes, Young est encore loin de la découverte de Champollion.

Ce profil est celui de l'un des prisonniers capturés par Séti Ier en Syrie.

à Aix, il déchiffre les papyrus que Sallier vient d'acheter à des trafiquants. Il va à Livourne voir la collection Salt, qu'il fait acheter par Charles X. Celui-ci le nomme conservateur des Antiquités égyptiennes du musée Charles-X (le musée du Louvre), mais c'est à peine s'il prend le temps d'occuper ce poste.

Le 31 juillet 1828, Champollion réalise enfin le rêve de sa vie : il s'embarque pour l'Égypte

Pendant quinze mois, accompagné de dessinateurs expérimentés comme Nestor L'Hôte et Lehoux, un élève de Gros, ainsi que d'une équipe italienne dirigée par son élève et ami, Rosellini, Champollion parcourt toute l'Égypte, d'Alexandrie à Assouan, il se rend en Nubie jusqu'à la deuxième cataracte, il reste quinze jours à Abou Simbel. Partout il lit, traduit, copie les textes. De Ouadi Halfa, le 1er janvier, il présente ses vœux à Dacier, le secrétaire perpétuel de l'Académie, en ajoutant : «Maintenant, ayant suivi le cours du Nil depuis son embouchure jusqu'à la seconde cataracte, j'ai le droit de vous annoncer qu'il n'y a rien à modifier dans notre *Lettre sur l'Alphabet des Hiéroglyphes ;* notre alphabet

Appliqués à reproduire les fresques et les monuments, les dessinateurs de Champollion prennent aussi le temps de faire un album souvenir : ici, par L'Hôte, le campement à Philae.

est bon : il s'applique avec un égal succès d'abord aux monuments égyptiens du temps des Romains et des Lagides, et ensuite, ce qui devient d'un bien plus grand intérêt, aux inscriptions de tous les temples, palais et tombeaux des époques pharaoniques.»

Le Voyage en Égypte et en Nubie de Champollion et de Rosellini, et les publications qui s'ensuivirent serviront de modèle aux premiers égyptologues, formés à la lecture des textes hiéroglyphiques grâce à la découverte de Champollion.

Karl Lepsius fonde l'égyptologie allemande, tandis que Wilkinson est à l'origine de l'égyptologie anglaise

K.R. Lepsius, un Allemand de Saxe, vient à Paris en 1833, suit les cours de Letronne au Collège de France et apprend à lire les hiéroglyphes dans les ouvrages posthumes de Champollion. Après avoir passé quatre ans à visiter les collections égyptiennes en Angleterre, en Italie, et aux Pays-Bas, et à parfaire sa connaissance de l'égyptien, il dirige, de 1842 à 1845, la grande expédition en Égypte

D ans une lettre d'Abou Simbel, Champollion mentionne ces fresques : «Deux rangs de prisonniers africains, les uns de race nègre et les autres de race barabra, formant des groupes parfaitement dessinés, pleins d'effet et de mouvement.» Rosellini les copie pour les publier, au retour dans les *Monuments de l'Égypte et de la Nubie.*

que le roi de Prusse organise, à l'imitation de celle de Champollion. A son retour en Allemagne, Lepsius est nommé professeur à l'université de Berlin et publie les douze volumes des *Denkmäler aus Aegypten und Aethiopien* (Monuments d'Egypte et de Nubie), avec leurs 894 planches grand folio (55 × 70 cm), que les égyptologues utilisent encore de nos jours, tout comme la *Description de l'Égypte,* et les *Monuments d'Égypte et de Nubie* de Champollion.

A peine plus jeune que Champollion, Wilkinson peut être considéré comme le fondateur de l'égyptologie anglaise. Il part en Égypte en 1821 et fouille à Thèbes pendant une dizaine d'années. *Manners and Customs of Ancient Egyptians,* son grand ouvrage qui utilise ses copies de textes et ses excellents dessins, a été le premier et, pendant longtemps, le seul livre à décrire la vie quotidienne des paysans et des artisans à l'époque pharaonique.

Fouillant à Thèbes, Wilkinson y trouve cette tête de momie et la reproduit immédiatement à l'aquarelle, comme un archéologue d'aujourd'hui s'empresserait de faire une photo de tout objet découvert.

Le Français Prisse d'Avennes, arrivé en 1829 comme ingénieur et hydrographe, devient l'un des grands archéologues de cette première moitié du siècle

Prisse d'Avennes est un personnage singulier. Il mérite une place de choix parmi les savants qui ont contribué au développement de l'égyptologie naissante. Né en 1807, il fait des études d'ingénieur et d'architecte. En 1826, il combat avec les Grecs contre les Turcs, lors de la guerre de Morée. On le trouve ensuite secrétaire du gouverneur général des Indes, avant qu'il ne passe en Palestine puis en Égypte. Il devient, en 1829, ingénieur civil et hydrographe de Méhémet Ali, puis professeur de topographie à l'École de l'état-major égyptien. Prisse, de caractère ombrageux, se dispute avec le Bey, directeur de l'École, aussi est-il transféré à l'École d'infanterie de Damiette, comme professeur «de fortifications». Là, il explore les antiquités du Delta et, surtout, perfectionne son arabe et apprend à lire les hiéroglyphes. En 1836, il démissionne de son poste

Le temple funéraire de Séti Ier à Thèbes, sur la rive ouest du Nil, est dessiné par Lepsius en novembre 1844. L'inondation couvre en partie les champs ; à l'arrière-plan, à gauche, les colosses de Memnon sont encore dans l'eau.

de professeur, s'habille à la turque, prend le nom d'Edriss Effendi, et se consacre entièrement à l'archéologie.

En 1838, après un séjour en Nubie et à Abou Simbel, il s'installe à Louqsor où il possède une magnifique maison ainsi qu'une belle cange (nom de la barque à voile qui transporte les voyageurs sur le Nil) ; celle-ci bat pavillon anglais, car il se considère comme le descendant des Price of Aven and Carnavon, famille galloise qui s'est réfugiée en France du temps de Cromwell ! Cela ne l'empêche pas, d'ailleurs, d'avoir à cœur les intérêts de la France.

Tous les archéologues sont patriotes... Prisse d'Avennes rêve d'embellir le Louvre, mais Lepsius songe aussi à doter des plus beaux monuments les musées de Berlin

Ayant appris que Lepsius avait l'intention de faire enlever la Chambre du roi ou Salle des ancêtres du temple de Karnak, Prisse recrute des ouvriers, fait scier les blocs de la chapelle pour les alléger, les met en caisses, les embarque et part pour Le Caire.

En cours de route, il croise la flottille de l'expédition prussienne. Lepsius monte à bord du bateau de Prisse. Un témoin raconte cette scène : «Le docteur allemand confia à Prisse d'Avennes qu'il était venu en Égypte tout exprès pour enlever la Salle des ancêtres de Thoutmès III destinée au musée de Berlin. Prisse se garda bien de lui apprendre que les caisses sur lesquelles ils étaient assis tous deux pour prendre le café renfermaient précisément tous les reliefs de la Chambre du roi.»

Prisse offrit à la France la Salle des ancêtres de Karnak, aujourd'hui au musée du Louvre, mais aussi un très long papyrus qu'il avait acheté à un paysan de Gournah. Ce papyrus Prisse, déposé à la Bibliothèque nationale, peut prétendre au titre de plus vieux livre du monde : il remonte à 2000 av. J.-C., et nous donne la copie d'un texte plus ancien encore, attribué à un certain Ptahhotep, fonctionnaire d'un pharaon qui vivait vers 2450 av. J.-C.

Dans la Tombe de Ramsès III, dans la vallée des rois, Prisse d'Avennes relève le dessin de ces deux fauteuils, et les reproduit ensuite, en couleur, dans son *Histoire de l'art égyptien*.

Au cours de son long séjour en Égypte – près d'une vingtaine d'années – Prisse d'Avennes amasse un nombre considérable de notes, plans, croquis, dessins, estampages, qui serviront à la publication de son *Histoire de l'Art égyptien d'après les monuments, depuis les temps les plus reculés jusqu'à la domination romaine*.

En 1843, Karl Lepsius exécute cette lithographie de la grande salle à colonnes d'Esneh. A cette époque seule la salle a été dégagée, le temple est encore enfoui dans les décombres comme on le voit par l'escalier de fortune qui permet de descendre dans l'hypostyle.

Ce que Champollion a fait pour la lecture des hiéroglyphes, Mariette va le faire pour l'archéologie. C'est lui qui, en obtenant du vice-roi d'Égypte, Saïd Pacha, la création de la Direction des fouilles, futur service des Antiquités de l'Égypte, met un terme au pillage systématique des antiquités. D'autre part, en recueillant le produit des fouilles de ce service dans le petit musée qu'il installe à Boulaq, le port du Caire, il est également le véritable fondateur de l'actuel musée du Caire.

CHAPITRE VI
LES ARCHÉOLOGUES AU SECOURS DE L'ÉGYPTE

Cette statue du taureau Apis, aujourd'hui au musée du Louvre, se dressait autrefois à l'entrée du Serapeum de Memphis.

Lors de l'inauguration du canal de Suez, Mariette organise la visite des monuments anciens : l'impératrice Eugénie se rend aux pyramides.

En 1842, Mariette est professeur au collège de Boulogne,
lorsqu'on le charge de classer les papiers et les notes de son
cousin Nestor L'Hôte, le dessinateur de Champollion, qui
vient de mourir. En regardant ces admirables dessins,
il sent soudain une attirance irrésistible pour l'Égypte.

Il dira plus tard du signe hiéroglyphique qui
représente un canard : «Le canard égyptien est un animal
dangereux : un coup de bec, il vous inocule le venin et
vous êtes égyptologue pour la vie.» En attendant, il est à
Boulogne où il classe la petite collection d'objets égyptiens
du musée municipal, parmi lesquels figure un cercueil de
momie couvert d'inscriptions ; celui-ci provient de la
collection de Vivant Denon qui, ne comprenant pas les

En dépit des travaux de
classement de Mariette,
la multitude de dessins
réalisés par Nestor L'Hôte
est encore en partie
inédite ; telle cette
aquarelle, représentant
Karnak, conservée à la
bibliothèque du Louvre.

hiéroglyphes, avait repeint à son idée la plupart des textes.
Mariette l'ignore et le débutant qu'il est s'obstine pendant
des mois à déchiffrer des textes... sans signification
aucune ! Il faillit renoncer à l'étude des hiéroglyphes qu'il
a entreprise seul, à l'aide de la *Grammaire* et du *Dictionnaire*
de Champollion.

Il persévère cependant et entre en correspondance avec
Charles Lenormant et Emmanuel de Rougé, successeurs
de Champollion dans la chaire d'égyptologie du Collège
de France. Ceux-ci sont étonnés des connaissances qu'il a
su acquérir seul. Il faut croire que la morsure du canard
égyptien s'était envenimée de façon irrémédiable car
Mariette, marié et père de famille, décide d'abandonner la
sécurité de son emploi à Boulogne pour se lancer dans

l'aventure égyptienne. Ses protecteurs parisiens lui obtiennent un poste des plus modestes au musée du Louvre : il fait des étiquettes et touche 166,66 francs par mois ! Mais cela lui permet de poursuivre sa formation d'égyptologue et d'apprendre le copte.

En 1850, on lui confie une mission pour aller en Égypte acheter des manuscrits coptes

Le moment est mal choisi : peu auparavant, deux Anglais ont visité les monastères coptes du Ouadi Natroun, ils ont enivré les moines à l'alcool et se sont fait donner – sans

En 1850, Mariette trouve la route bordée de chapelles qui va le conduire aux grands souterrains du Serapeum.

les payer – un nombre considérable de manuscrits. Le patriarche copte, indigné, n'est donc nullement disposé à laisser un étranger pénétrer de nouveau dans les couvents ; on dit même qu'il a fait murer les portes des bibliothèques ! Lorsque Mariette arrive, il se voit refuser toute autorisation d'entrer dans les couvents. Nous sommes en octobre 1850.

    Désœuvré, Mariette décide d'abandonner la mission dont il est chargé et d'employer les fonds qui lui ont été confiés à tout autre chose que l'achat de manuscrits coptes. Toute la personnalité de Mariette peut se résumer là : goût du risque et de l'aventure, confiance en soi, rapidité de décision.

S'installant à Saqqarah, il aperçoit, le 27 octobre 1850, un sphinx à demi ensablé... C'est ainsi que commence la fouille du Serapeum de Memphis, la nécropole souterraine des taureaux Apis

«Au même instant, un passage de Strabon me revint à la mémoire, écrit-il : ''On trouve, de plus, à Memphis, un temple de Sérapis dans un endroit tellement sablonneux que les vents y amoncellent des amas de sable sous lesquels nous vîmes les sphinx enterrés, les uns à moitié, les autres jusqu'à la tête, d'où l'on peut conjecturer que la route vers ce temple ne serait pas sans danger si l'on était surpris par un coup de vent.'' Et Mariette poursuit : «Ne semble-t-il pas que Strabon ait écrit cette phrase pour nous aider à retrouver, plus de huit siècles après lui, le temple fameux consacré à Sérapis ? Le doute, en effet, n'était pas possible. Ce sphinx ensablé, compagnon de quinze autres que j'avais rencontrés à Alexandrie et au Caire, formait, de toute évidence, une partie de l'avenue qui conduisait au Serapeum de Memphis ! J'oubliai en ce moment ma mission, j'oubliai le patriarche, les couvents, les manuscrits coptes et syriaques, et c'est ainsi que le 1er novembre 1850, par un des plus beaux levers de soleil que j'aie jamais vus en Égypte, une trentaine d'ouvriers se trouvaient réunis sous mes ordres, près de ce sphinx qui allait opérer dans les conditions de mon séjour en Égypte un si complet bouleversement.»

Le Serapeum de Memphis, la nécropole souterraine des taureaux Apis, aujourd'hui encore, demeure une des grandes découvertes de l'égyptologie, même après la mise au jour des momies royales de Deir-el-Bahari, du tombeau de Toutânkhamon, ou des tombes royales de Tanis.

La fouille dure plus de deux ans. Dégageant, sphinx après sphinx, la route qui mène au temple, Mariette n'arrive aux abords du Serapeum proprement dit que le 11 février 1851, et avec des crédits presque épuisés.

66 Mes campagnes du Serapeum éveillèrent tous les instincts de lutteur qui sommeillaient en moi. De retour en France, j'ai essayé de m'acharner sur un texte, de me persuader que c'était le but de la science, je n'ai pas pu...
Je me mettais à ruminer quelque projet d'exploration à Thèbes et dans la nécropole d'Abydos, où à rédiger un mémoire sur l'intérêt qu'il y aurait pour la science à instituer un Service de protection des monuments, service dont, naturellement, j'étais le chef. J'en serais mort ou devenu fou si je n'avais pas eu l'occasion de revenir promptement en Égypte. 99

Mariette,
Lettre à Maspero

Il n'a pas encore soufflé mot de sa découverte. Il se résigne donc à l'annoncer officiellement en France pour obtenir un peu d'argent. A la demande de l'Institut, le Parlement français vote le 26 août 1851, dans l'enthousiasme, un crédit extraordinaire de 30 000 francs pour permettre de poursuivre les fouilles.

Dans son ardeur, Mariette a oublié qu'il est en Égypte, et que ses trouvailles n'appartiennent pas à la France ! La réaction ne se fait pas attendre : ordre lui est donné d'arrêter immédiatement la fouille et de remettre aux agents égyptiens tous les objets découverts jusqu'alors. De longues discussions s'engagent alors entre l'Égypte et la France. Avec sa famille qui, lasse de l'attendre à Paris, est venue le rejoindre, Mariette attend le résultat des négociations entre diplomates. Le 12 février 1852, enfin, le consul général de France obtient la levée de l'interdit : un firman en bonne et due forme autorise la France à reprendre les fouilles.

Celles-ci sont difficiles. Au moment où le khédive avait arrêté ses travaux, Mariette venait justement de découvrir une entrée conduisant aux souterrains où reposent les momies des taureaux. Dès l'Antiquité, ces souterrains ont été bouleversés : couvercles des sarcophages brisés et basculés, stèles arrachées des parois, statuettes funéraires et petits objets répandus sur le sol. Mariette remet tout en ordre, de sorte que la visite du Serapeum devient une attraction pour les personnages importants de passage en Égypte.

Cette découverte a été un événement capital pour Mariette comme pour l'égyptologie. En février 1851, Mariette est un inconnu ; trois mois plus tard, sa réputation est internationale. Avant le Serapeum, il pouvait encore faire une carrière de bibliothécaire ou de conservateur de musée ; après, ce n'est plus possible : il a goûté aux joies de la recherche sur le terrain, à l'ivresse de la découverte ; il ne peut plus s'en passer.

Avec l'aide de Ferdinand de Lesseps, alors occupé à creuser le canal de Suez, Mariette revient en Égypte en octobre 1857. Il est chargé de préparer le voyage en Égypte du prince Napoléon, cousin de Napoléon III, et de réunir pour lui une collection d'antiquités qui lui sera offerte par le nouveau khédive, Saïd Pacha. Chaleureusement accueilli par Saïd Pacha, qui lui donne de l'argent et met à sa disposition un bateau à vapeur, Mariette entreprend

Lorsqu'un visiteur important vient à Saqqarah, Mariette le retient un moment chez lui, puis le conduit dans les souterrains. Entre-temps, suivant un scénario bien au point, des centaines d'enfants assis sur le sol, immobiles, tenant chacun une bougie allumée, ont été placés le long de la galerie principale : «On ne peut s'imaginer, a écrit un de ces visiteurs, l'impression produite par l'aspect de cet immense souterrain, dont l'éclairage ainsi disposé semble avoir quelque chose de fantastique... Sur la galerie s'ouvrent des chambres latérales, dans lesquelles sont les immenses sarcophages des Apis. Chacune était éclairée comme le reste... de quelque côté que l'on se tourne, l'effet est véritablement magique.» La visite se poursuit par l'examen des sarcophages des taureaux sacrés : de trois mètres de haut, sur deux de large et quatre de long, ils sont taillés dans un bloc de granit poli comme une glace. Une échelle est appliquée contre le dernier sarcophage. Arrivé au sommet, le visiteur découvre dans l'intérieur une table recouverte d'un riche plateau d'argent, des verres d'argent ciselé, quelques bouteilles de champagne ; des candélabres éclairent le tout, dix pliants n'attendent plus que les convives. La tradition prétend que de graves archéologues ont dansé au fond du sarcophage... après le champagne.

aussitôt des fouilles : à Gizeh, Saqqarah, Abydos, Thèbes, Éléphantine même ! Le prince Napoléon renonce à son voyage, mais Mariette réussit à convaincre Saïd Pacha de réaliser ses rêves.

Le 1er juin 1858, Mariette est nommé «Maamour», directeur des travaux d'antiquités en Égypte.
Le vice-roi Saïd Pacha lui donne tous moyens et tous pouvoirs

On lui attribue un bateau à vapeur pour ses déplacements, il est autorisé à réquisitionner toute la main-d'œuvre qui lui sera nécessaire, des crédits lui sont alloués «pour déblayer les ruines des temples et les consolider, pour ramasser partout les stèles, les statues, les amulettes, tous les objets d'un transport facile, afin de les mettre à l'abri de la cupidité des paysans, ou de la convoitise des Européens».

Saïd Pacha, vice-roi d'Égypte (1822-1863), appelle Mariette en 1858.

Grâce à Mariette, ce qui va devenir le service des Antiquités et le Musée égyptien est en place. Toutefois, Mariette a les plus grandes difficultés à appliquer les mesures de protection projetées. Trop d'intérêts sont en jeu pour que les pillages cessent d'un coup. Les paysans égyptiens ont maintenant pris conscience de la valeur des antiquités qu'ils peuvent se procurer par des fouilles clandestines.

Mariette entouré de ses filles Louise et Sophie et de quelques amis ; à gauche l'égyptologue Rochemonteix.

Peu de temps avant la mort de Mariette commence une étonnante histoire policière : la découverte de la cachette des momies royales de Deir-el-Bahari

En 1857 et 1858, Mariette a découvert à Thèbes, sur la rive opposée à Louqsor, la tombe d'un pharaon et d'une reine de la fin de la XVIIᵉ dynastie (vers 1600 av. J.-C.), dans laquelle se trouvent de très beaux objets en or et en argent. A la suite d'un incident avec le gouverneur de la province thébaine, tous les habitants de Gournah savaient que sous leurs pieds dormaient des richesses incalculables à leurs yeux. Le village est, en effet, construit au-dessus des tombes dont ils occupent souvent les chapelles creusées dans le rocher, chapelles où débouchent les puits d'accès aux chambres souterraines qui renferment momies et mobilier funéraire. Les villageois de Gournah, instruits par l'exemple des archéologues, allaient donc devenir les fouilleurs clandestins les plus actifs de toute l'Égypte.

A partir de 1875, les antiquaires de Louqsor proposent aux riches touristes de très beaux objets, notamment des papyrus en excellent état. Un colonel écossais, Campbell, achète un grand papyrus en écriture hiératique, ayant appartenu au pharaon Pinedjem, de la XXIᵉ dynastie (vers 1000 av. J.-C.), alors qu'au même moment les marchands d'antiquités proposent de petites

Dans le jardin du musée de Boulaq, des équipes d'ouvriers mettent en place le tombeau de marbre, en forme de sarcophage, qui contient le corps de Mariette. La photo a été prise le 8 mai 1882. Le musée de Boulaq, fondé par Mariette, se trouvait au bord du Nil. Il avait été installé dans d'anciens magasins de la compagnie de remorquage du port. Dans le jardin qui le précédait, parmi les sphinx et les statues monumentales, les visiteurs étaient accueillis par la chienne Bargoût, gardienne du musée, et par la gazelle favorite de Mariette, Finette.

statuettes de faïence bleue, des *ouchebtis,* inscrites au nom de ce même pharaon.

Gaston Maspero entend parler du papyrus de Pinedjem et en déduit qu'il doit provenir d'une tombe encore inconnue. Avec la brusque apparition des ouchebtis

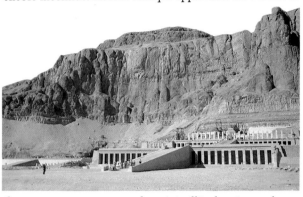

il soupçonne que cette tombe a été pillée depuis peu de temps.

Au printemps de 1881, devenu directeur des fouilles après la mort de Mariette, Maspero entreprend à Louqsor une enquête qui le mène à un certain Mustafa Agha Ayat, marchand d'antiquités, mais aussi agent consulaire pour l'Angleterre, la Belgique et la Russie, ce qui lui donne l'immunité diplomatique. Au demeurant, Mustafa ne pouvait être que le receleur et non le fouilleur clandestin.

L'enquête se poursuivant, les soupçons de Maspero se fixent sur trois frères, habitants de Gournah, les Abder Rassoul, l'un, Mohammed, est l'employé de Mustafa, les deux autres des trafiquants d'antiquités. Il fait arrêter Mohammed, qui est emprisonné à Qeneh, mais nie toute participation à des fouilles clandestines, et les notables du village se portent garants de son honnêteté. Il faut le relâcher. Cependant, le séjour en prison l'a fait réfléchir. Craignant que ses frères ne fassent de lui un bouc émissaire à la suite de dissensions familiales, il avoue au gouverneur de la province qu'en 1871 ils avaient bien découvert une cachette remplie de momies et d'objets de toutes sortes.

Maspero étant alors en France, le khédive désigne une commission d'enquête composée de l'Allemand H. Brugsch,

D ans la falaise surplombant le temple de Deir-el-Bahari, le 5 juillet 1881, des tombes dissimulées depuis deux millénaires dévoilent leurs trésors : les corps embaumés des plus célèbres pharaons.

C es statuettes, appelées ouchebtis, shaouabtis, ou simplement répondants, étaient chargées, selon les croyances de l'ancienne Égypte, d'accomplir dans l'au-delà les corvées que le dieu des Morts, Osiris, pouvait imposer à la personne dont elles portaient le nom. Ces répondants, très nombreux puisqu'il en fallait un par jour, donc 365 par an, plus un chef d'équipe par groupe de 10, soit au total plus de 400, étaient enfermés dans de petits coffres en bois déposés au fond de la tombe, près du cercueil. Leur présence sur le marché des antiquités était donc, et est toujours, le signe que la tombe à laquelle elles appartiennent a été pillée.

ancien assistant de Mariette,
du conservateur égyptien du musée de
Boulaq et d'un inspecteur. Le 5 juillet,
Mohammed Abder Rassoul les conduit au
pied de la falaise thébaine, près du temple
de Deir-el-Bahari. Une difficile escalade
de quelque soixante mètres les amène
devant une fissure dans la paroi rocheuse :
soigneusement dissimulée par du sable et
des pierres, s'ouvre la bouche d'un puits qui
s'enfonce dans la montagne.

A onze mètres de profondeur étaient entassés les cercueils des plus célèbres pharaons des XVIIIe et XIXe dynasties, des reines et des hauts fonctionnaires de l'époque

Un interminable couloir mène à une
grande chambre irrégulière, mal éclairée.
Brugsch bute dans des sarcophages et du
mobilier funéraire qui encombrent aussi bien
le couloir que la salle. A la lueur étroite de sa
bougie, il peut lire au passage, inscrits sur les
cercueils, les noms des plus prestigieux
pharaons des XVIIIe et XIXe dynasties :
Amosis, Thoutmosis Ier, II, III, Aménophis Ier,
Ramsès Ier, II, III, ceux des reines : Nefertari,
Hatshepsout, Aahotep, ainsi que ceux des princes
et princesses, leurs enfants, et de très hauts fonctionnaires
de la cour.

Gaston Maspero
(1846-1916) succède
à Mariette à la direction
du musée de Boulaq et
organise, entre autres,
les fouilles des pyramides
de Gizeh et du temple
de Louqsor.

❝Un calme et doux
sourire planait encore sur
ses lèvres, et les paupières à
demi fermées laissaient
glisser comme une lueur
sous les cils qui semblaient
humides et brillants ; elle
était due au reflet des
yeux de porcelaine
blanche, placés dans
les orbites au moment
de l'embaumement.❞
Gaston Maspero

Brugsch n'en croit pas ses yeux : au milieu des ces sarcophages qu'il n'arrive pas à compter tant il y en a, gît du mobilier funéraire : coffres à ouchebtis, vases canopes d'albâtre ou de calcaire où étaient déposés les viscères des momies lors de l'embaumement, vases de faïence et de bronze, tablettes inscrites, et jusqu'à une tente complète qui avait servi lors d'un enterrement. C'est dans cet incroyable amoncellement d'objets inappréciables que les frères Abder-Rassoul puisaient depuis des années.

Devant cette extraordinaire découverte, les enquêteurs sont embarrassés. Que faire ? Refermer le puits et attendre le retour de Maspero ? C'est imprudent, des indiscrétions sont possibles et même inévitables ; quelle garde, même armée pourrait s'opposer à une foule surexcitée, attirée par la masse des trésors accumulés que son imagination aura grossie hors de toute proportion. Brugsch décide donc d'enlever aussitôt le tout pour l'emmener au Caire. Il recrute trois cents ouvriers. En six jours sarcophages, momies, objets, tout est transporté à Louqsor et, peu après, sur un bateau à vapeur spécialement venu du Caire qui, «le temps de charger, repart pour Boulaq avec son fret de rois. Chose curieuse, de Louqsor à Qouft, sur les deux rives du Nil, les femmes fellahs échevelées suivirent le bateau en poussant des hurlements et les hommes tirèrent des coups de fusil comme ils font aux funérailles» (Maspero). Que pleurent-ils ? Leurs ancêtres lointains... ou la perte d'un butin sans prix ?

Pourquoi toutes ces momies avaient-elles été enlevées de leurs tombes originelles et dissimulées dans la cachette de Deir-el-Bahari ?

Dès la XXIᵉ dynastie, entre 1150 et 1080 av. J.-C., les habitants de Thèbes ont violé la nécropole, s'attaquant de préférence aux sépultures des pharaons, dont ils connaissent la richesse. Malgré de lourdes condamnations : mort, amputation du nez et des oreilles, ou au minimum bastonnade, les pillages continuent. Ils prennent une telle ampleur que les prêtres décident de retirer toutes les

❝ Les Arabes avaient mis au jour un caveau entier de pharaons. Et quels pharaons ! Les plus illustres, peut-être, de toute l'histoire d'Égypte : Thoutmosis III et Séthi Iᵉʳ, Amosis le Libérateur et Ramsès II le Conquérant ! Arrivé aussi soudainement au milieu d'eux, Emil Brugsch pensa être victime d'une hallucination et, comme lui, je m'étonne encore de n'avoir pas été le jouet d'un rêve lorsque je vois, et touche, ce qui fut le corps de tant de personnages dont jamais nous n'aurions espéré connaître autre chose que les noms. **❞**
Gaston Maspero

momies de leurs tombes. Ils les rassemblent d'abord dans une seule sépulture plus facile à surveiller, puis dans une autre ; enfin ils les cachent dans la grande salle et le couloir de Deir-el-Bahari, dont l'entrée à flanc de montagne est très difficile à atteindre.

Grâce aux procès qui nous sont parvenus, il est facile de comprendre pourquoi la cachette de Deir-el-Bahari, compte tenu du nombre des momies, ne comporte qu'un mobilier funéraire réduit où ne figurent pratiquement pas l'or et l'argent pourtant si abondants dans le mobilier royal traditionnel. Lorsque les prêtres déplacèrent les momies, argent et or avaient depuis longtemps été fondus dans les creusets de fortune des pillards.

Si les prêtres de la XXIᵉ dynastie ne purent sauver les mobiliers, ils ont préservé l'essentiel à leurs yeux : le corps même des rois. Ainsi possédons-nous encore les momies des plus grands pharaons du Nouvel Empire, avec les papyrus et les textes inscrits sur les momies et les cercueils. Ce fut pour l'égyptologie naissante une mine prodigieuse d'informations dont Maspero saura tirer grand parti.

Le sarcophage et la momie de la princesse Isisemkheb (XXIᵉ dynastie, vers 1000 av. J.-C.), comme les momies de Ramsès II et de Séti Iᵉʳ, avaient été cachés par les prêtres et mis à l'abri des pillards.

La momie de Ramsès II (vers 1300-1230 av. J.-C.) se trouvait dans la première cachette. Après la découverte de la cachette de Deir-el-Bahari, ont lieu deux autres trouvailles similaires dont l'une, à Deir-el-Bahari également, contient les momies des grands prêtres et prêtresses d'Amon. Le lieu en est révélé par Mohammed Abder Rassoul, l'ancien voleur devenu le collaborateur des archéologues. Non seulement il n'est pas inquiété pour les vols commis de 1871 à 1881, mais il reçoit une récompense de cinq cents livres et est nommé chef des gardiens de la nécropole thébaine.

Si l'histoire de la découverte de la cachette des momies royales est un véritable roman policier, celle de la trouvaille de la tombe de Toutânkhamon pourrait fournir le thème d'un conte fantastique : un lord anglais victime d'un accident, un archéologue passionné, possédé d'une idée fixe ; la découverte d'un trésor fabuleux, puis, inexorable et lente, la vengeance du pharaon spolié qui détruit un à un les protagonistes du drame. La réalité diffère quelque peu de ce scénario, mais elle n'en est pas moins étonnante.

CHAPITRE VII
L'ÉGYPTE
RETROUVÉE

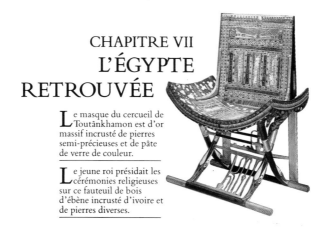

Le masque du cercueil de Toutânkhamon est d'or massif incrusté de pierres semi-précieuses et de pâte de verre de couleur.

Le jeune roi présidait les cérémonies religieuses sur ce fauteuil de bois d'ébène incrusté d'ivoire et de pierres diverses.

C'est à un triple concours de circonstances que l'on doit la découverte de la tombe de Toutânkhamon, si importante pour l'égyptologie : d'abord au XIIe siècle av. J.-C., puis au XXe siècle de notre ère. Vers 1140 av. J.-C., des carriers thébains creusant la grande tombe rupestre de Ramsès VI, rejettent au plus près de l'ouverture du tombeau les déblais arrachés à la montagne. Ce faisant, ils recouvrent sans le savoir une très petite tombe oubliée depuis deux siècles déjà. Sans les ouvriers de Ramsès VI, la tombe de Toutânkhamon eût été pillée comme toutes les autres tombes de la vallée des Rois.

C'est en 1892 que Howard Carter, jeune dessinateur,

Annoncée par la grande presse, la découverte de la tombe de Toutânkhamon attire un très grand nombre de touristes. Chaque jour ils se pressent autour du puits donnant accès à la tombe pour en voir sortir les objets.

est engagé par un institut britannique pour dessiner les bas-reliefs et inscriptions du temple de Montouhotep (2060-2010 av. J.-C.), à Deir-el-Bahari. Là, il se prend de passion pour la vallée des Rois où il va rêver chaque semaine. Puis il entre au service des Antiquités en 1899 et est nommé inspecteur des Antiquités de Haute Égypte. Il conseille alors à Théodore Davis, riche Américain, de fouiller la vallée des Rois où, il en est persuadé, il reste encore des tombes royales. C'est lui qui surveille et dirige les travaux financés par Davis ; il découvre ainsi les tombes de la reine Hatchepsout et de Thoutmosis IV, pillées toutes deux. Pendant quatre ans il explore la vallée des Rois, il la connaît dans ses moindres détails. En 1903, promu inspecteur de Basse et Moyenne Égypte, il doit s'installer près du Caire. Pour peu de temps : au cours d'une dispute entre les gardiens du Serapeum et un groupe de touristes, il prend parti pour les gardiens ; mais les touristes sont gens influents, ils se plaignent en haut lieu et le consul d'Angleterre, pour éviter un incident diplomatique, exige que Carter fasse des excuses. Carter refuse et donne sa démission ; il s'installe alors au Caire et gagne sa vie en peignant des paysages d'Égypte pour les touristes.

Curieux détour du destin : la tombe de Toutânkhamon aurait-elle été découverte si des touristes déplaisants n'étaient venus faire du scandale au Serapeum ? On peut en douter. Sans cet incident, Carter serait resté à Saqqarah et n'aurait pu conseiller au second personnage de l'aventure, lord Carnarvon, d'entreprendre des fouilles dans la vallée des Rois.

George, Edward, Stanhope, Molyneux, Herbert, cinquième comte Carnarvon représente pour nous le type du parfait lord anglais : courtois, d'excellente éducation, il est passé par Eton et le Trinity College de Cambridge. Il est fort riche, collectionneur, membre du Jockey Club. Il voyage beaucoup, mais s'intéresse surtout à l'élevage des chevaux de course et à la chasse à courre. Il a cependant une autre passion : l'automobile. C'est là que le destin intervient une troisième fois : au cours d'un voyage en Allemagne, il a un terrible accident de voiture qui fera de lui, malgré toutes les interventions chirurgicales, un demi-invalide jusqu'à la fin de sa vie. La poitrine a été touchée et, craignant les brumes britanniques, ses médecins lui conseillent de passer les hivers en Égypte. Cela en 1903, l'année même où Carter, sans emploi, végète au Caire.

Lord Carnarvon, durant ses séjours réguliers, s'attache à l'Égypte et décide d'y entreprendre des fouilles. Il sollicite une concession de fouilles. Gaston Maspero, qui dirige le service des Antiquités de l'Égypte, voit dans cette demande le moyen d'aider Carter, qu'il tient en grande estime. Il suggère à lord Carnarvon, qui n'a aucune compétence archéologique, d'engager Carter comme chef de chantier. Devenu conseiller technique et directeur des

Howard Carter (1874-1939) consacre plus de dix ans à enlever, transporter des centaines d'objets trouvés dans la tombe. Il meurt avant d'avoir pu publier le rapport définitif de sa découverte.

Lord Carnarvon (1866-1923) subventionne les fouilles de Carter auxquelles il participe activement. Le 5 avril 1923, il meurt d'une piqûre de moustique infectée, avant que la tombe ne soit complètement fouillée. Cette mort brutale donnera naissance à la légende de la malédiction de Toutânkhamon.

travaux de lord Carnarvon, Carter propose de fouiller à
Thèbes, dans la nécropole des nobles ; ils y travaillent
jusqu'en 1912. A cette date, la licence de Davis pour la
vallée des Rois, venue à expiration, est abandonnée. Davis,
tout comme Maspero, est persuadé qu'il ne reste plus rien
à découvrir dans la vallée. Carter sait néanmoins
convaincre Carnarvon de reprendre la concession et les
fouilles abandonnées.

Pendant dix ans, de 1912 à 1922, Carter et Carnarvon
explorent en vain la vallée des Rois. Découragés, ils vont
arrêter leurs recherches...

Le 4 novembre 1922, les ouvriers dégagent un escalier de pierre qui s'enfonce dans le sol : seize marches apparaissent l'une après l'autre

Taillées dans le roc, elles aboutissent à une porte murée
dont le revêtement de plâtre porte les sceaux des gardiens
de la nécropole et ceux d'un pharaon mal connu,
Toutânkhamon. Tous sont intacts !

Parmi les trésors, cette statuette représentant la tête du roi jeune, sortant d'une fleur de lotus, symbole de la renaissance (bois enduit de stuc et peint), une boîte à miroir en forme de signe de vie *(ânkh),* en bois recouvert d'or et serti de cornalines et de pâte de verre colorée, et des dagues à lame d'or (à droite).

Carnarvon est alors en Angleterre. Carter a le courage
d'arrêter les travaux ; il fait recouvrir l'entrée de la tombe
et expédie à Carnarvon le télégramme suivant : «Ai fait
enfin une merveilleuse trouvaille dans la vallée : une tombe
magnifique. Ai recouvert ladite tombe en vous attendant.
Félicitations. H.C.» Le 23 novembre, Carnarvon arrive.
Deux jours sont nécessaires pour redégager l'escalier et la
porte, puis débloquer celle-ci, qui s'ouvre sur un plan
incliné obstrué jusqu'au plafond par de la pierraille.
Cette descenderie mène à une porte toute semblable à la
première, murée elle aussi, et revêtue des mêmes sceaux.
Le 26, la descenderie est dégagée. Les mains tremblantes,
Carter enlève quelques pierres de la deuxième porte et
passe une bougie dans l'ouverture. L'air chaud qui
s'échappe de la tombe fait d'abord vaciller la flamme,
puis des formes étranges apparaissent : des animaux,
des statues, partout l'or étincelle. Médusé, Carter reste
silencieux. Carnarvon, angoissé, demande : «Voyez-vous
quelque chose ?» Encore stupéfié, Carter ne peut que
répondre : «Oui, des choses merveilleuses.»

La tombe de Toutânkhamon, la plus petite de la vallée
des Rois, est littéralement bourrée d'objets : statues, lits,
chaises, fauteuils, modèles de bateaux, chars, armes,
vases, coffres et coffrets divers, le tout dans un désordre
indescriptible.

De mémoire d'archéologue, la plus grande émotion jamais vécue ! Carter, après avoir tiré les verrous, vient d'ouvrir les portes de la quatrième et dernière chapelle de bois doré qui enferme la momie royale. Le sarcophage de pierre apparaît : il brille dans le faisceau lumineux qu'on a approché.

Étant donné les précautions à prendre pour enlever un à un tous ces objets, il faut quatre ans aux fouilleurs pour parvenir à la chambre funéraire où repose la momie du jeune roi. Le sarcophage qui la contient est enfermé dans quatre coffres-chapelles de bois doré emboîtés l'un dans l'autre et recouverts d'un dais de lin brodé d'or. La cuve de quartzite est protégée par ces chapelles.

B

A

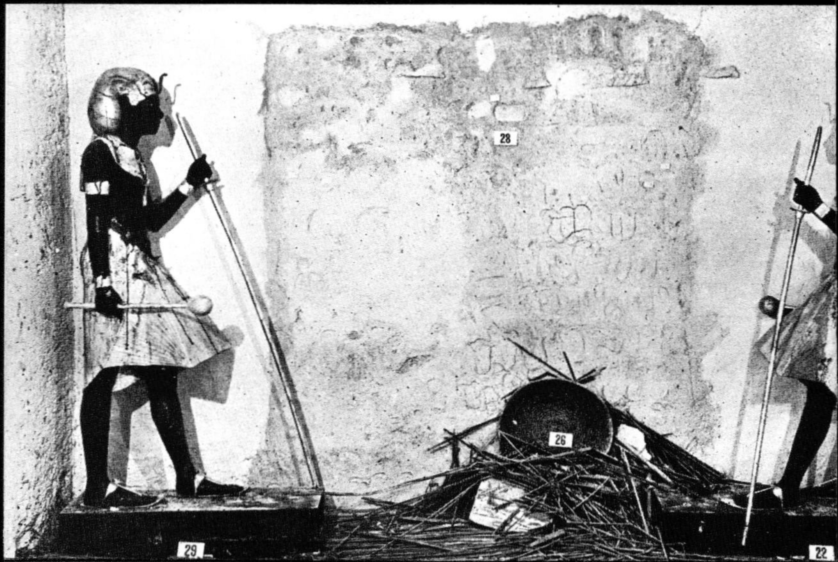
28
26
29
22

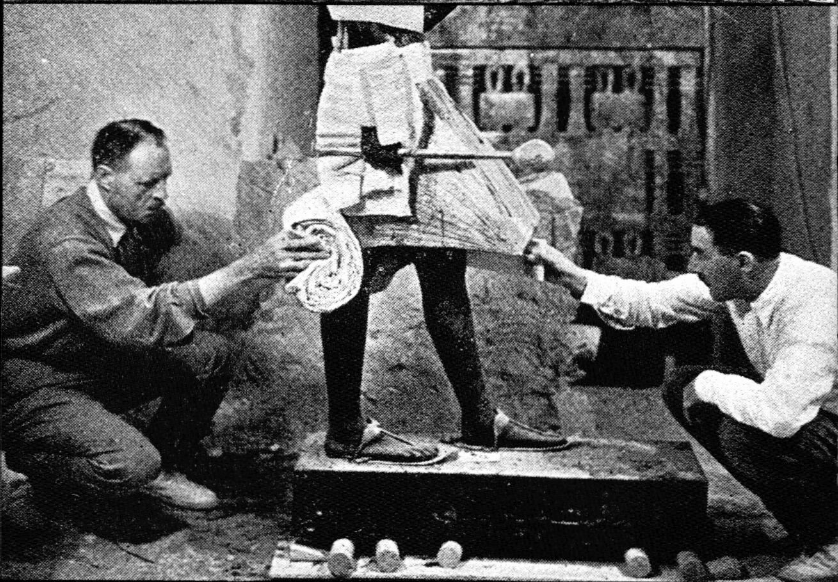

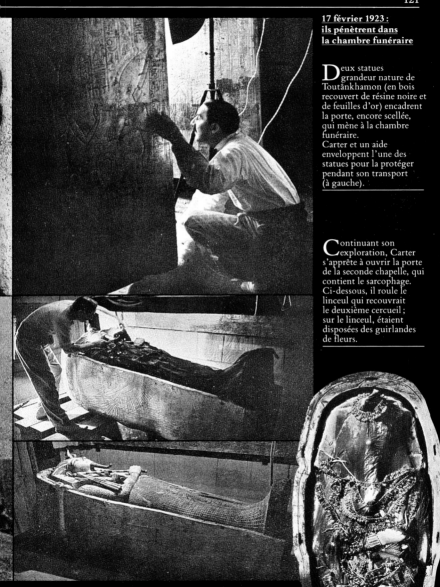

**17 février 1923 :
ils pénètrent dans
la chambre funéraire**

Deux statues
grandeur nature de
Toutânkhamon (en bois
recouvert de résine noire et
de feuilles d'or) encadrent
la porte, encore scellée,
qui mène à la chambre
funéraire.
Carter et un aide
enveloppent l'une des
statues pour la protéger
pendant son transport
(à gauche).

Continuant son
exploration, Carter
s'apprête à ouvrir la porte
de la seconde chapelle, qui
contient le sarcophage.
Ci-dessous, il roule le
linceul qui recouvrait
le deuxième cercueil ;
sur le linceul, étaient
disposées des guirlandes
de fleurs.

255.A

28 octobre 1925 :
le dernier cercueil
est ouvert

À l'intérieur du troisième et dernier cercueil, le masque d'or du roi apparaît à Carter. Sur le cou et la poitrine repose un collier de perles et de fleurs ; sur la tête, une écharpe de lin.

Devant l'entrée de la salle du trésor, le dieu-chien, Anubis, maître de la nécropole, est couché sur une sorte d'autel. Il bloque pratiquement le passage. Une étoffe de lin, jetée sur son dos, est nouée autour de son cou. Le tout est placé sur un brancard. Lors de l'ouverture de la salle il y avait encore, au pied de cette statue, un flambeau éteint tombé d'un support sur lequel était inscrite une invocation magique. Derrière Anubis on aperçoit le grand coffre-chapelle de bois doré où était enfermé le coffre en albâtre des «canopes», vases contenant les viscères du roi enlevés lors de l'embaumement.

Le trésor quitte
la vallée des Rois

Pour la première fois, une fouille en Égypte se déroule sous les yeux du public et des journalistes massés autour de la tombe pour en voir sortir les objets. Dès que le *Times* de Londres annonce sa découverte, Carter reçoit d'innombrables lettres : des offres d'aide, des demandes de souvenirs («ne seraient-ce que quelques grains du sable de la tombe») ; des cinéastes qui souhaitent filmer ; des couturiers qui sollicitent le droit de copier les costumes ; et aussi... des insultes pour avoir profané une sépulture !

Avec l'aide d'un ouvrier, Carter sort de la tombe le lit funéraire à l'image de la déesse Thouéris. Hippopotame femelle, symbole de fécondité, elle assiste les naissances, mais c'est aussi et surtout une divinité protectrice. Ce lit de bois doré, fort lourd, mesure plus de deux mètres de long. Ce n'est qu'en 1928 que les fouilles et le travail dans la tombe seront terminés.

Trois sarcophages en forme de momie y sont emboîtés comme des poupées russes : les deux premiers sont de bois doré orné d'incrustations, le dernier en or massif (1 110 kg). La momie y est couchée, la tête et le haut du buste couverts par un masque d'or massif incrusté de pierres et de pâte de verre colorée.

A Tanis, dans le Delta, d'autres tombes royales inviolées sont découvertes en 1939 par Pierre Montet

Bien qu'extraordinaire, la découverte d'une tombe royale inviolée, comme celle de Toutânkhamon, n'est pas unique dans l'histoire de l'égyptologie. En 1939, l'archéologue français Pierre Montet dégage des habitations tardives à Tanis, dans le Delta oriental, lorsqu'il remarque l'ouverture d'un puits. Vidé, celui-ci révèle tout au fond un dallage de pierre qui n'est autre que... le toit d'un tombeau construit en pierre de taille ! Le puits avait été creusé par des pillards pour parvenir à la tombe. En fait, ce tombeau fait partie d'un groupe de sépultures où ont été enterrés les pharaons des XXIe et XXIIe dynasties dont la

Pierre Montet (1885-1966) tient le grand support d'argent et son assiette trouvés dans la chambre funéraire de Psousennès. Ci-dessous les fouilles de Tanis appelée aujourd'hui Sân-el-Haggar.

capitale était Tanis. La première tombe découverte, celle du roi Osorkon II, a été pillée, mais il n'en va pas de même pour celle du roi Psousennès qui est intacte, et près de laquelle se trouvent les sépultures, inviolées également, de quatre autres grands personnages. Le mobilier funéraire de Tanis comporte des cercueils d'argent, des masques d'or, des bijoux et des vases d'or, d'argent, de bronze, d'albâtre ; moins abondant que celui de Toutânkhamon, il est d'une remarquable qualité artistique.

Ainsi, de 1881, date de la mort de Mariette, à nos jours, des savants comme Brugsch, Maspero, Montet parmi d'autres redécouvrent peu à peu l'Égypte pharaonique

A côté de trouvailles exceptionnelles comme la cachette des momies royales, la tombe de Toutânkhamon ou celle de Psousennès, chaque année apporte son lot de découvertes. Des sites de plus en plus nombreux, en Égypte comme en Nubie, sont méthodiquement explorés. Les philologues, les épigraphistes, les historiens peuvent se pencher sur les documents mis au jour. D'amples recueils de textes, suivis de grammaires et de dictionnaires paraissent, et l'histoire de l'Égypte ancienne se dévoile peu à peu. L'égyptologie a dépassé le stade de l'enfance, elle entre dans sa maturité.

Pour un fouilleur comme Mariette, Maspero, Carter et Montet, la découverte marque le début d'un long et épuisant travail, surtout lorsqu'il s'agit de trouvailles importantes comme celles de la nécropole royale de Tanis, de la tombe de Toutânkhamon, de la cachette de Deir-el-Bahari ou du Serapeum. Après avoir relevé l'emplacement et le niveau des objets, il faut les enlever avec précaution, les transférer au magasin-laboratoire, les nettoyer, les décrire, les dessiner, les analyser, les ficher, les consolider voire les restaurer. Rien d'étonnant, donc, s'il fallut plus de dix ans à Carter aidé de nombreux experts pour nettoyer la tombe de Toutânkhamon, empaqueter et transférer au musée du Caire tous les objets qu'elle contenait. Mariette, qui travaillait seul, ne put jamais finir le catalogue des milliers d'objets découverts au Serapeum. Les fouilleurs disparus, ce sont les spécialistes – philologues, épigraphistes, archéologues – qui prennent le relais et préparent les publications finales sur les objets et les documents trouvés.

À Beni Hassan, se trouvait dans la paroi abrupte de la montagne une nécropole datant de la XIIe dynastie, vers 1900 avant notre ère. Champollion et Wilkinson décrivirent les fresques qui ornaient certaines tombes, comme cette scène de pêche de la tombe n° 3. Lepsius fut le premier à y faire œuvre d'archéologue, et à dater et expliquer l'ensemble.

Assiout est un autre exemple d'hypogées, ces tombes creusées dans le roc, que l'on croyait protégées des pillards par leur situation.
En 1798, Vivant Denon et Cécile, dans *la Description* en donnèrent les premiers dessins ; Maspero y dirigea des fouilles.

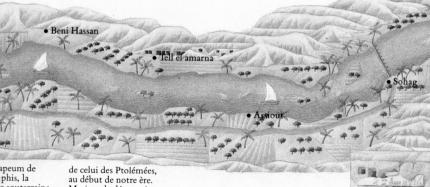

• Beni Hassan

• Tell el amarna

• Sohag

• Assiout

apeum de
phis, la
e souterraine
aux Apis,
t les corps de
aux sacrés,
à depuis le
Ramsès II,
, jusqu'à la fin de celui des Ptolémées, au début de notre ère. Mariette le découvrit en 1850. Une bonne part des objets qu'il contenait sont aujourd'hui au Louvre.

Le couvent copte de Saint-Antoine-du-Désert est le plus ancien d'Égypte. Fondé par ses disciples au lieu où vécut et mourut le saint, il fut édifié à partir du IIIe siècle. Une vie intellectuelle prospère s'y développa entre le XIIe et le XVe siècle. En 1484 des pillages marquèrent le déclin du couvent, qui fut déserté pendant près d'un siècle.

La mosquée-medersa du Caire, construite par le sultan Hassan entre 1356 et 1363, mesure 138 mètres de long sur 68 de large.

Caire

● Memphis

● Saqqarah

● Meïdoum

● El Fayøum

● Oasis du Fayoum

Construites pour servir de tombeaux aux pharaons de la IVe dynastie (vers 2600), Chéops, Chéphren et Mykérinos, les pyramides de Gizeh ont été visitées de tous les temps. L'entrée de Chéops était connue de tous ; celle de Chéphren fut découverte par Belzoni en 1818.

Le M
nécro
des ta
conte
ces ai
enter
règne
vers 1

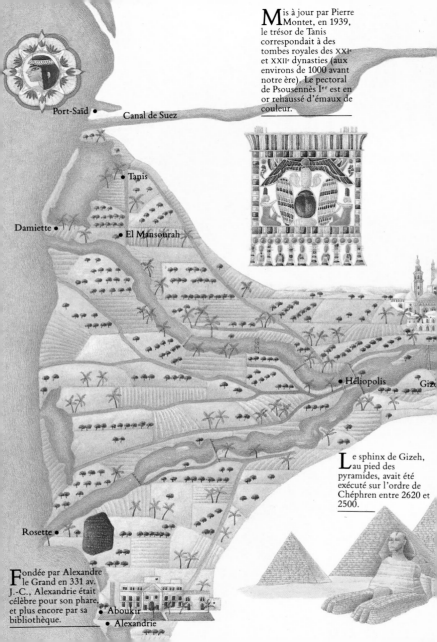

Mis à jour par Pierre Montet, en 1939, le trésor de Tanis correspondait à des tombes royales des XXIe et XXIIe dynasties (aux environs de 1000 avant notre ère). Le pectoral de Psousennès Ier est en or rehaussé d'émaux de couleur.

Port-Saïd •

Canal de Suez

• Tanis

Damiette •

• El Mansourah

• Héliopolis

Giz...

Le sphinx de Gizeh, au pied des pyramides, avait été exécuté sur l'ordre de Chéphren entre 2620 et 2500.

Rosette •

Fondée par Alexandre le Grand en 331 av. J.-C., Alexandrie était célèbre pour son phare, et plus encore par sa bibliothèque.

• Aboukir
• Alexandrie

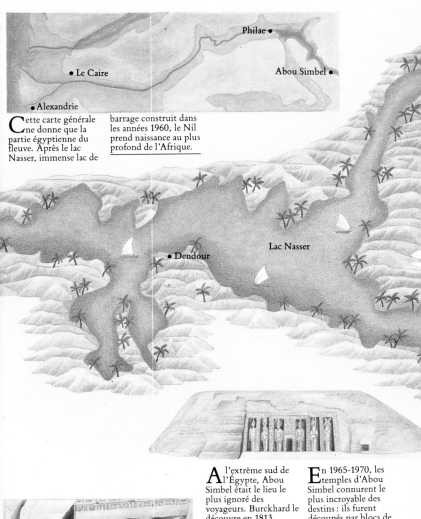

Philae •

• Le Caire

Abou Simbel •

• Alexandrie

Cette carte générale ne donne que la partie égyptienne du fleuve. Après le lac Nasser, immense lac de barrage construit dans les années 1960, le Nil prend naissance au plus profond de l'Afrique.

• Dendour

Lac Nasser

À l'extrême sud de l'Égypte, Abou Simbel était le lieu le plus ignoré des voyageurs. Burckhard le découvre en 1813, Belzoni pénètre dans le grand temple, alors presque caché par le sable, en 1817. Les statues colossales représentent Ramsès II qui le fit contruire au XIIIᵉ siècle avant notre ère.

En 1965-1970, les temples d'Abou Simbel connurent le plus incroyable des destins : ils furent découpés par blocs de 20 tonnes, et remontés plus haut, pour échapper aux eaux du lac Nasser, créé par le barrage d'Assouan, 250 kilomètres en aval.

Belzoni en 1816,
et donné au British
museum, l'autre est
toujours sur place.

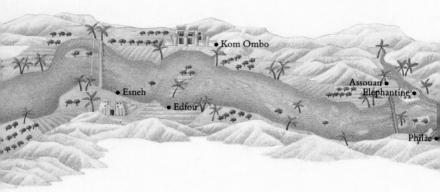

• Kom Ombo

• Esneh

• Edfou

Assouan •
Éléphantine •

Philae •

A l'époque
pharaonique,
les sources du Nil
étaient inconnues. C'est
seulement en 1856
qu'elles furent
découvertes par trois
Anglais, Speke, Burton
et Grant, près du lac
Victoria, à 5600 km de
la mer.

Philae, un temple
ptolémaïque du IVᵉ
siècle, construit sur une
île, à hauteur de la
cataracte, était l'un des
plus beaux sites
d'Égypte. Tous les
voyageurs et les
dessinateurs
s'aventurant vers le sud
en donnent des
descriptions et des
représentations :

Belzoni, Nestor Lhôte
qui y vient avec
Champollion.
Pierre Loti au début du
XXᵉ siècle est témoin
des dégâts causés par le
barrage qui inonde le
site. Il faudra attendre
1980 pour que le
temple, soit remonté
sur une île proche, et
ainsi sauvé.

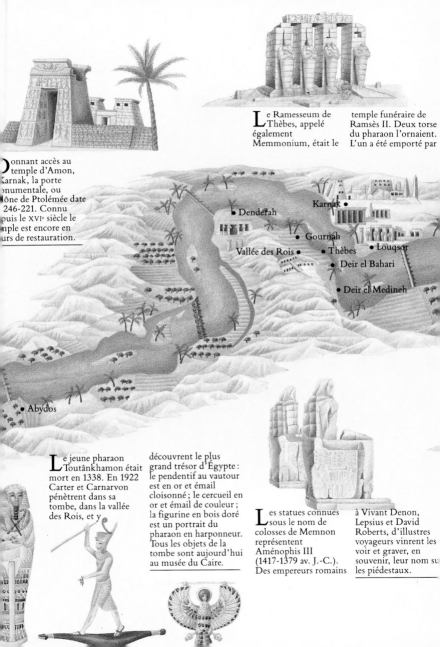

Le Ramesseum de
Thèbes, appelé
également
Memmonium, était le

temple funéraire de
Ramsès II. Deux torse
du pharaon l'ornaient.
L'un a été emporté par

onnant accès au
temple d'Amon,
Karnak, la porte
monumentale, ou
lône de Ptolémée date
246-221. Connu
puis le XVIᵉ siècle le
mple est encore en
urs de restauration.

Denderah

Karnak •

• Gournah

Vallée des Rois •

• Thèbes

• Louqsor

• Deir el Bahari

• Deir el Medineh

• Abydos

Le jeune pharaon
Toutânkhamon était
mort en 1338. En 1922
Carter et Carnarvon
pénètrent dans sa
tombe, dans la vallée
des Rois, et y

découvrent le plus
grand trésor d'Égypte :
le pendentif au vautour
est en or et émail
cloisonné ; le cercueil en
or et émail de couleur ;
la figurine en bois doré
est un portrait du
pharaon en harponneur.
Tous les objets de la
tombe sont aujourd'hui
au musée du Caire.

Les statues connues
sous le nom de
colosses de Memnon
représentent
Aménophis III
(1417-1379 av. J.-C.).
Des empereurs romains

à Vivant Denon,
Lepsius et David
Roberts, d'illustres
voyageurs vinrent les
voir et graver, en
souvenir, leur nom su
les piédestaux.

TÉMOIGNAGES
ET DOCUMENTS

Les grands moments de la redécouverte de l'Égypte,
les témoignages d'écrivains voyageurs,
les savants d'hier et d'aujourd'hui.

La campagne d'Égypte

Le 19 Mai 1798, une armée française commandée par Bonaparte quitte Toulon. A bord, des soldats et des marins, mais aussi des savants, des peintres... Les conséquences de l'expédition d'Égypte ont été immenses. Non seulement sur le destin de Bonaparte, mais avant tout sur l'histoire de l'archéologie.

Existe-t-il dans notre histoire une expédition plus extravagante que la conquête de l'Égypte en 1798 ? Extravagante dans la mesure où cette expédition consista à embarquer la meilleure armée de la République — sans lui révéler la destination du voyage — sur des navires exposés à être capturés ou coulés par les Anglais dont la suprématie maritime en Méditerranée était incontestée. Extravagante aussi parce que l'on envahit — en plein mois de juillet, preuve d'une totale méconnaissance du climat — un pays auquel on n'avait pas déclaré la guerre. Extravagante, d'autre part, car le motif avoué était de fonder une colonie au moment où l'on proclamait le droit des peuples à disposer d'eux-mêmes. Le comble fut cependant que l'armée française se retrouva prisonnière de sa conquête, incapable de regagner la France tandis que son général l'abandonnait pour voler au secours de la République menacée par une coalition dont la formation était prévisible de longue date.

Et pourtant, même si elle fut extravagante, l'expédition d'Égypte n'en a pas moins changé la face du monde. Elle donna naissance à l'égyptologie en révélant les splendeurs d'une civilisation oubliée, du moins devenue mystérieuse. Elle favorisa le décollage économique» de l'Égypte — le *take off*, comme on dira au XXe siècle —, lui redonnant au Proche Orient une place qu'elle semblait avoir perdue. D'où la fascination que continue à exercer cette campagne qui n'est pourtant pas la plus prestigieuse de Bonaparte.

Après la proclamation de la paix de Campo Formio (1797), Bonaparte devient le général le plus populaire de la

Deux cents navires vont prendre la mer, bientôt renforcés par des bateaux venus d'Italie. Au large, croise la flotte de Nelson. Mais l'affrontement viendra plus tard.

République. Un général populaire dans un régime impopulaire. Comment n'en tirerait-il pas les conséquences ? Pourtant avec ce sens politique qui n'a cessé de le caractériser, il juge qu'un coup d'État serait prématuré. Débarrassé de ses adversaires à droite comme à gauche, le Directoire paraît encore solide. Au demeurant, l'opinion reste réservée envers les généraux politiciens. La Fayette et Dumouriez, comme Pichegru, en ont fait la triste expérience. Le prestige de Bonaparte ne tient pas seulement à ses victoires mais à la loyauté dont il a toujours fait preuve envers la République. S'en départir, ou le laisser croire, serait suicidaire.

Il faut donc attendre. Mais pas se faire oublier. Une élection à l'Institut, le 25 décembre 1797, ne suffit pas à retenir longtemps l'attention. Une grande expédition est nécessaire. Reprendre le projet de débarquement en Angleterre ? L'opération est pleine d'aléas. Hoche a déjà échoué. Bonaparte n'est pas sûr de faire mieux. Or, le 3 juillet 1797, Talleyrand avait lu, au cours d'une séance publique de l'Institut, un essai sur les avantages à retirer de colonies nouvelles dans les circonstances présentes. Au cours de cette communication, il avait repris un projet de Choiseul réclamant la cession de l'Égypte à la France. L'Égypte était à la mode. En 1785, Savary avait publié ses *Lettres sur l'Égypte* et, deux ans plus tard, Volney lançait la relation de son *Voyage en Égypte et en Syrie*. On savait peu de chose auparavant de cette province de l'Empire ottoman et l'on connaissait fort mal son prestigieux passé. Pourquoi s'emparer de l'Égypte ? Talleyrand annonçait la fin de la domination des Turcs sur le Proche-Orient et l'Europe. Il fallait en profiter pour se saisir de leurs dépouilles et préserver notre commerce avec le Levant. (...)

Les services de Talleyrand faisaient remarquer que, l'Égypte occupée, on ferait partir de Suez une expédition à destination de l'Inde où elle rejoindrait Tipoo-Sahib qui était devenu sultan de Mysore, après avoir expulsé les Anglais en 1784. L'Angleterre, menacée d'une descente sur ses côtes, ne pourrait parer le coup si celui-ci restait secret. La

Russie, la Prusse et l'Autriche étaient trop occupées à digérer la Pologne et ne pourraient guère protester après avoir rayé, elles-mêmes, de la carte le royaume polonais. (...)

Une telle expédition s'inscrivait dans le droit fil de la politique du XVIIIᵉ siècle. Mais à y regarder de près, ne s'agissait-il pas d'une folie ? La conquête de l'Égypte allait priver la France d'une armée et d'un général, tous deux expérimentés, alors que la guerre menaçait de reprendre sur le continent. Et pouvait-on prévoir l'issue d'une telle opération ? Sans compter que, malgré toutes les bonnes paroles, on risquait de s' «aliéner» l'allié turc – , c'est le moins que l'on puisse dire. Il fut donc convenu que Talleyrand se rendrait à Constantinople pour expliquer au sultan qu'il ne s'agissait pas d'un acte de guerre, mais pour diverses raisons, l'ambassade n'eut pas lieu.

Talleyrand semble bien léger lorsqu'il engage Bonaparte dans la voie de l'Égypte. Contrairement à la légende, Joseph affirme que son frère hésita beaucoup. Il mesurait combien hasardeux était un tel pari. On lit dans les *Mémoires de Fouché* que Bonaparte ressentit l'expédition comme un piège. Et il est évident que le Directoire ne voyait pas s'éloigner sans plaisir un général trop encombrant. Pourtant Bonaparte presse les préparatifs. Il quitte, le 4 mai 1798, Paris pour Toulon. Les dés sont jetés.

L'expédition avait été préparée dans le plus grand secret car il fallait échapper au contrôle anglais sur la Méditerranée. Pour éviter toute indiscrétion, les soldats n'avaient pas été mis dans la confidence. C'est ainsi que Murat, alors en garnison en Italie, reçut l'ordre de se rendre à Milan. Là, il

apprit qu'il devait gagner Gênes au plus vite. Il commanderait les 14ᵉ et 18ᵉ régiments de dragons dans la «grande expédition» dont la destination demeure inconnue. Dans ces conditions, les préparatifs furent bâclés en un mois. Trop tarder eût donné l'alerte. Le financement fut assuré par l'argent pris à Berne lors de l'intervention française. Où la stupéfaction des hommes fut grande, c'est lorsqu'ils virent embarquer 21 mathématiciens, 3 astronomes, 17 ingénieurs civils, 13 naturalistes et ingénieurs des mines, 4 architectes, 8 dessinateurs, 10 hommes de lettres, 22 imprimeurs munis de caractères latins, grecs et arabes... La liste des personnalités prévues pour le voyage était impressionnante : Monge, Berthollet, Geoffroy Saint-Hilaire, l'archéologue Jomard, l'orientaliste Jaubert, Vivant Denon, Conté, célèbre pour ses crayons, le poète Parseval-Grandmaison, un peintre et un pianiste.

Ce n'est pas seulement la meilleure armée de la République (35 000 hommes) qui va faire voile vers l'Égypte, mais son élite scientifique. Souci de plaire aux idéologues de la part de Bonaparte ? Volonté de placer l'expédition dans la grande tradition des voyages scientifiques du XVIIIᵉ siècle ? Alibi pour une conquête ? On imagine en tout cas les conséquences d'une interception par Nelson. Le 19 mai les deux cents navires placés sous le commandement de Brueys prennent la mer. Comment une flotte de cette importance, renforcée par des bateaux venus d'Italie, parvint-elle à échapper aux Anglais ? Deux fois Nelson la manqua. Au passage, Bonaparte s'empara de Malte qui pouvait servir de relais. C'est alors que les troupes furent officiellement

Trompant la vigilance de Nelson, la flotte française arrive le 1er juillet devant Alexandrie. Trois divisions débarquent et s'avancent au pas de charge. Le gouverneur et ses troupes se rendent.

prévenues du but de l'expédition. Le 1er juillet, les Français débarquaient à Alexandrie. La surprise des habitants était totale. Rien ne laissait prévoir une telle invasion, aussi la résistance fut-elle limitée.

Habilement, Bonaparte lançait, le 2, une proclamation aux habitants. Il y affirmait : «Depuis assez longtemps les beys qui gouvernent l'Égypte insultent à la nation française et couvrent ses négociants d'avanies, l'heure de leur châtiment est arrivée.» Mais Bonaparte vient aussi en libérateur : «Y a-t-il une belle terre ? Elle appartient aux mameluks. Y a-t-il une belle esclave, un beau cheval, une belle maison ? Cela appartient aux mameluks. Si l'Égypte est leur ferme, qu'ils montrent le bail que Dieu leur a fait. Mais Dieu est juste et miséricordieux pour le peuple.» C'est pourquoi il a choisi Bonaparte, champion de l'égalité des hommes, pour venir libérer les Égyptiens. Mais dira-t-on, Bonaparte est un infidèle ? Non. «Je respecte, dit le général, plus

que les mameluks, Dieu, son prophète et l'Alcoran.» Et d'ajouter : «N'est-ce pas nous qui avons détruit le pape qui disait qu'il fallait faire la guerre aux musulmans ? N'est-ce pas nous qui avons détruit les chevaliers de Malte, parce que ces insensés croyaient que Dieu voulait qu'ils fissent la guerre aux musulmans ? N'est-ce pas nous qui avons été dans tous les siècles les amis du Grand-Seigneur (que Dieu accomplisse ses désirs) et l'ennemi de ses ennemis ? Les mameluks, au contraire, ne se sont-ils pas toujours révoltés contre l'autorité du Grand Seigneur, qu'ils méconnaissent encore ?»

Quarante siècles vous regardent...

Une telle proclamation montrait que Bonaparte était bien renseigné sur la situation de l'Égypte, alors soumise en effet aux mameluks. (...) Les mameluks dominaient un peuple de petits artisans, de boutiquiers et de fellahs qui supportaient impatiemment un joug

devenu anachronique. La décadence de
l'Égypte en cette fin du XVIIIᵉ siècle
était incontestable sur le plan
économique comme sur le plan
politique.

Sa conquête ne fut pourtant pas
aussi facile qu'on aurait pu le croire.
L'expédition avait été préparée trop vite.
Les Français envahirent l'Égypte en
juillet avec des équipements nullement
appropriés aux fortes chaleurs de la
saison. Tous les témoignages
confirment la forte démoralisation des
soldats victimes de la dysenterie et de
fièvres diverses. N'oublions pas aussi
l'absence de toute motivation. Nous
sommes loin de Valmy et de Jemmapes,
quand il fallait défendre le sol natal. (...)
Une armée sacrifiée n'a jamais bon
moral. Il y eut des cas de suicide.

Enfin la victoire des Pyramides, le
21 juillet, aux portes du Caire, redonna
de l'espoir aux hommes. C'est toutefois
à Sainte-Hélène, dans ses célèbres
dictées, que Napoléon semble avoir
forgé le mot fameux : «Soldats,
quarante siècles vous regardent.»
Enthousiasme de courte durée. Le
1ᵉʳ août, la flotte française était surprise
dans la rade d'Aboukir par Nelson et à
peu près entièrement anéantie. Le
conquérant se trouvait prisonnier de sa
conquête. Cette fois, c'était bien le
désastre. (...) Mais Bonaparte ne se
laissa pas abattre. C'est alors que
s'ouvre la période la plus brillante de
l'expédition. Le général en chef
entreprend de développer l'Égypte. (...)

Dès le lendemain des Pyramides,
quatre hôpitaux militaires étaient créés
à Gizeh, Boulak, au Vieux-Caire et au
Caire. (...) Le bilan administratif est
important : dans le domaine financier,
l'impôt est uniformisé et réparti
équitablement selon la qualité des
terres. Un recensement de la

population fut entrepris. Autre réforme : pour les mettre à l'abri des exactions des janissaires qui leur vendaient jadis «leur protection», artisans et commerçants relèveront désormais uniquement des tribunaux de l'armée.

Pour continuer à subventionner les frais de l'armée, Bonaparte n'hésite pas à confisquer les biens des mameluks. La douane du Caire est affermée. Des lingots d'or avaient été apportés de France et échangés à Alexandrie contre du numéraire. Bonaparte ordonne à Kléber de les enlever à leurs détenteurs contre des denrées et de les envoyer au Caire où un hôtel des monnaies, dont Monge, Berthollet et Costaz sont inspecteurs, les transformera en espèces. S'y ajouteront des contributions extraordinaires levées sur les différents corps de métier.

Au reste, tout fut entrepris pour gagner la sympathie des Égyptiens. Le respect des croyances est l'un des traits les plus caractéristiques de l'occupation française. On détruit la féodalité des mameluks et l'on s'engage dans une politique de grands travaux. L'ingénieur Lepère prépare la jonction entre la mer Rouge et la Méditerranée par l'isthme de Suez. Les anciens canaux sont rétablis pour vivifier les cultures. Sur le plan intellectuel, Bonaparte, qui signe toutes ses proclamations de son titre de membre de l'Institut, fonde sur le modèle français un Institut d'Égypte. Des journaux sont publiés : *Le courrier de l'Égypte, La décade égyptienne,* etc.

Mais surtout on se penche sur le passé de l'Égypte. (...) Les fouilles archéologiques de Thèbes, Louqsor et Karnak, la découverte de la pierre de Rosette et les croquis pris par l'équipe de Vivant Denon pour la publication d'une *Description de l'Égypte,* montrent la vivacité, même chez de simples soldats, de la curiosité pour un monde disparu.

Comment les Français ont-ils pu mener tant d'activités avec si peu d'effectifs ?

Ils ont dû compter avec une insécurité croissante à mesure que l'occupation s'étendait. Dans la province de Menouf, l'aide de camp Jullien, envoyé par Bonaparte à Kléber, est assassiné avec son escorte. A Mansourah, la garnison française est attaquée et massacrée. A Damiette, les soldats échappent de peu à un sort identique. La révolte du Caire, le 21 octobre, coûte la vie au général Dupuy et à l'aide de camp préféré de Bonaparte, Sulkowski. (...)

En septembre 1798, des rumeurs parvinrent au Caire sur de fortes concentrations de troupes turques en Syrie. Bonaparte décida de prévenir cette offensive en se portant en avant de l'adversaire. C'était aussi pour lui l'occasion, en remontant vers Constantinople, d'y trouver une flotte qui lui permettrait de regagner la France. Il enleva les ports de Gaza et de Jaffa, enfonça l'armée turque, près de Nazareth, au Mont-Thabor, le 16 avril 1799. Mais Bonaparte butait sur Saint-Jean-d'Acre, forteresse défendue par l'émigré Phélipeaux et ravitaillée par mer par la flotte anglaise de Sidney Smith. Ahmed Djezzar, pacha d'Acre, de Tripoli et de Damas, était l'âme de la résistance. Un premier rempart fut pris par les Français, mais l'ennemi construisit une seconde enceinte ayant pour point d'appui le château de Djezzar. Le manque d'artillerie gêna considérablement Bonaparte. Il fallut renoncer après deux mois de siège.

D'autant que le danger d'un débarquement turc se précisait en Égypte.

Tous les témoignages nous confirment l'atmosphère de démoralisation qui entoura la retraite de l'armée, une armée encombrée de blessés et de malades. La peste faisait des ravages. Ces ravages, Bonaparte ne les dissimulait pas dans son rapport au Directoire du 28 juin 1799 : «La peste a commencé à Alexandrie, il y a six mois, avec des symptômes très prononcés. A Damiette, elle a été bénigne. A Gaza et à Jaffa, elle a fait plus de ravages. Elle n'a été ni au Caire, ni à Suez, ni dans la Haute-Égypte. Il résulte que l'armée française, depuis son arrivée en Égypte jusqu'au 10 messidor an VII [28 juin 1799], a perdu 5 344 hommes. La campagne de Syrie a eu un grand résultat ; nous sommes maîtres de tout le désert, et nous avons déconcerté, pour cette année, les projets de nos ennemis. Mais nous avons perdu des hommes distingués. Le général Bon est mort de ses blessures ; Caffarelli est mort ; mon aide de camp Croizier est mort ; beaucoup de monde a été blessé.» L'objet de cette lettre était de demander des renforts, preuve que Bonaparte n'est pas encore découragé. Il rend compte des liaisons qu'il a tenté d'établir avec La Mecque, les Indes et l'île de France. Mais nourrit-il beaucoup d'illusions sur les chances d'un envoi de renforts de la part du Directoire à nouveau aux prises avec la guerre continentale ? Il n'est même pas sûr que cette lettre parvienne à Paris.

C'est avec les moyens dont il dispose qu'il parvient à écraser le débarquement des forces turques à Aboukir. Dans la rade, cette nouvelle victoire efface l'ancienne défaite, mais l'avenir de Bonaparte en Orient reste

Vivant Denon escalade le Sphinx (ci-dessus) et en prend les mesures. A droite, les dromadaires remplacent les chevaux dans la cavalerie française mais l'uniforme reste le même ! Le décor est celui du temple de Karnak.

entièrement bouché, faute de troupes. Selon Miot, le général aurait fait appeler Murat dans la nuit qui précéda le combat : «Cette bataille va décider du sort du monde», aurait déclaré Bonaparte. Murat ne comprit pas sur le coup le sens de cette phrase. Ayant reçu avis, le 17 août, que les bâtiments ennemis avaient cessé de croiser au large d'Alexandrie et d'Aboukir, Bonaparte prit sa décision. Une proclamation, le 22, avertit l'armée : «Les nouvelles d'Europe m'ont décidé à partir pour la France. Je laisse le commandement de l'armée au général Kléber. L'armée aura bientôt de mes nouvelles ; je ne puis en dire davantage. Il me coûte de quitter les soldats auxquels je suis le plus attaché ; mais ce ne sera que momentanément, et le général que je leur laisse a la confiance du gouvernement et la mienne.»

Jean Tulard
L'histoire, novembre 1983

La Description de l'Égypte

Par ordre de Napoléon, l'Imprimerie impériale entreprend la publication de la Description de l'Égypte. *200 artistes participent à l'illustration : 907 planches en tout, comprenant plus de 3 000 dessins. Relevés de monuments, zoologie, botanique, vues pittoresques, présentation des métiers et des objets usuels : la* Description *fait découvrir l'Égypte dans sa diversité.*

Trois volumes de planches et deux volumes de textes décrivent l'histoire naturelle de l'Égypte : animaux, comme l'aigle de Thèbes, plantes comme le *Nymphea nelumbo* et le palmier doum.

Le frontispice présente une vue perspective de l'Égypte, avec ses principaux monuments, d'Alexandrie jusqu'aux cataractes.

Deux volumes de planches et trois volumes de texte rendent compte de l'état du pays à la fin du XVIIIᵉ siècle, preuve que les membres de l'expédition d'Égypte avaient la curiosité de comprendre le mode de vie des habitants. Ils en rapportent des dessins de machines à arroser (à gauche), des scènes de la vie des artisans (un arconneur de coton, un fileur et une dévideuse de laine, un faiseur de natte et un faiseur de couffes). Toutes ces activités traditionnelles n'ont pas disparu aujourd'hui, et cette permanence donne plus de charme encore à ces témoignages.

Le style «retour d'Égypte»

Ou comment, d'une expédition militaire, naît un style décoratif... Bonaparte rentre à Paris. Le Dix-huit Brumaire, il devient consul. Rien n'arrêtera sa marche vers la gloire. Et cette gloire, il faut la traduire dans l'architecture, le mobilier, l'orfèvrerie, laisser la marque d'un goût particulier.
Ce goût, ce sera l'égyptomanie poussée à son paroxysme.

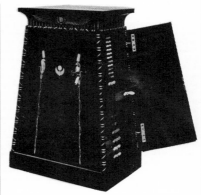

Un modèle réduit, en ébène incrusté d'argent, d'un pylône du temple d'Edfou abritait les médailles en or (ci-dessus).

Ce fauteuil anglais (ci-dessous) est inspiré par certains meubles trouvés dans des tombes.

Évoquant la majesté des statues qui régnaient sur les tombeaux, cette torchère éclairait des dignitaires de l'empire.

À la base d'un candélabre, des hiéroglyphes fidèlement reproduits. Pourtant, à l'époque, personne ne savait les lire.

Écritoire en pâte de Sèvres gris et or, évoquant la solennité funéraire de l'Égypte antique.

Cette écritoire porte la marque de l'Égypte antique ; en bronze doré, ornée de sphinx, elle appartenait à Talleyrand.

Le long voyage des obélisques

Octobre 1836 : au centre de la place de la Concorde, on doit ériger un nouveau monument; c'est l'obélisque de Louqsor, offert par l'Égypte. La cérémonie est annoncée par voie d'affiches, le peuple de Paris est convié à y assister. En 1878, les Anglais érigent à leur tour, "leur" obélisque, l'Aiguille de Cléopâtre.

Au milieu (de la place) s'élèvera l'obélisque, sur son piedestal ; un bassin demi-circulaire l'entourera tout entier ; aux quatre angles seront placés quatre sphinx en granit ; un trottoir ou terre-plein oblong, bordé de douze candélabres-bornes-fontaines, se développera au centre de la place dans le sens de sa longueur ; une large chaussée tournera autour, et, sur cette chaussée, aboutiront les huit autres transversales qui diviseront la place en huit compartiments sablés et bordés de trottoirs sur lesquels seront placés vingt autres grands candélabres-bornes-fontaines. Vingt piédestaux et vingt colonnes rostrales lampadaires seront placés à égales distances tout à l'entour de la place, sur la balustrade intérieure, entre les huit pavillons : ces colonnes auront vingt-cinq pieds d'élévation, elles seront surmontées d'un globe à pointe dorée, puis coupées au milieu par une proue de vaisseau, destinée à recevoir deux lanternes ; la pointe du globe qui couronnera chaque colonne sera disposée également pour recevoir une lanterne au besoin, les candélabres et les colonnes rostrales seront disposés pour être éclairés par le gaz.

Sur les huit pavillons seront huit statues assises en pierre, représentant les principales villes de France : Bordeaux, Nantes, Toulouse, Marseille, Lyon, Strasbourg, Lille et Rouen ; les statues du pont Louis XVI resteront. Quatre grands piédestaux seront construits ; deux du côté du pont de la Concorde, pour recevoir quatre grands groupes qui feront pendant avec les chevaux de Marly, placés à l'entrée des Champs-Élysées, et les chevaux ailés de l'entrée des Tuileries ; deux ponts à trois arches chacun vont être jetés sur les fossés, pour donner issue aux deux nouvelles chaussées ; le fond des fossés sera divisé

Devant les pylônes d'entrée du temple de Karnak, on s'apprête à abattre l'obélisque. Il est protégé par un coffrage en bois qu'il conservera pendant son transport.

en plates-bandes, en allées sablées et en gazons ; suivront des plantations de tilleuls, de lilas, de boules-de-neige, de seringas, baguenaudiers, etc. ; quelques bouts de fossés vers les Champs-Élysées seront démolis. Ce plan est dû à M. Hittorf, architecte. D'après toutes ces dispositions, la place offrira un coup d'œil enchanteur et deviendra une des plus belles et des plus vastes qui existent en Europe.

Le long voyage de l'obélisque

La distance de Paris à Louqsor a été estimée à 367 myriamètres, à vol d'oiseau, équivalant par les détours à plus de mille lieues ordinaires.

Le village moderne de Louqsor occupe, sur la rive orientale du Nil, une partie du sol de Thèbes, l'antique et célèbre capitale de l'empire égyptien.

Le bâtiment qui alla chercher l'obélisque, fut nommé *le Louqsor* ou *Louxor*, à cause de sa mission, et le commandement en fut donné à M. de Verninac de Saint-Maur. Il partit de Toulon au mois de mars 1831, arriva en 18 jours à Alexandrie, sortit de ce port le 15 juillet. Il remonta le Nil et toucha au village de Louqsor le 15 août.

Malgré le choléra qui atteignit l'équipage et les Arabes employés aux travaux, sous la direction de M. l'ingénieur Lebas, l'obélisque fut abattu le 31 octobre, et placé à bord du bâtiment le 19 décembre.

Il ne put partir de Thèbes que le 1er octobre 1832 ; il arriva à Alexandrie le 2 janvier 1833, cingla pour la France le 1er avril, et rentra à Toulon le 11 mai. Le 22 juin suivant *le Louxor* se dirigea de Toulon sur Paris, mouilla à Gibraltar le 30, au cap Saint-Vincent le 12 juillet, à la Corogne le 30, et à Cherbourg le 12 août : l'obélisque y fut visité par le Roi le 4 septembre ; le bâtiment reprit la mer la 12 du même mois, arriva à Rouen le 14 au matin ; y séjourna, et s'amarra enfin à Paris, le 23 décembre 1833, au moment de l'ouverture de la session des Chambres.

Matière et dimensions de l'obélisque

La matière de l'obélisque est le beau granit de Syène, situé au sud de l'Égypte, à la première cataracte du Nil.

L'obélisque est un *monolithe,* c'est-à-dire qu'il est d'un seul morceau de granit ; ses surfaces sont parfaitement

Traîné jusqu'au Nil, il est embarqué sur un bateau spécialement construit, le *Louxor.*
A Alexandrie, le *Sphinx,* un vapeur, le prend en remorque, pour l'amener au Havre.

polies et un peu convexes, il est carré à sa base, se rétrécit vers le haut, et se termine en petite pyramide ou *pyramidion.*

Il a sur chaque face trois colonnes de signes d'écriture, qu'on appelle *hiéroglyphes,* et qui étaient particuliers aux Égyptiens. Les signes de la colonne du milieu sont sculptés en bas-relief dans les creux, à 5 pouces de profondeur, et sont parfaitement polis, les signes des colonnes de côté sont moins profonds. Le nombre total de signes est de 1 600 : ces inscriptions se lisent de haut en bas.

Sa hauteur est de 72 pieds et pèse 500 000 livres.

Cet admirable monument a été exécuté vers l'année 1550 avant Jésus-Christ, à peu près au temps de Moïse, et de l'Exode, ou sortie des Israélites de l'Égypte.

L'organisation de la cérémonie

Le moment approche où l'obélisque sera dressé sur son piédestal. Arrivé à la hauteur calculée d'avance pour se

trouver en *justa-position* avec l'acrotère sur lequel il doit reposer, il peut être enlevé en quelques heures, aussitôt que les préparatifs dont on s'occupe activement seront achevés.

Ce sera un curieux spectacle pour les habitants de Paris, que celui du dressement de cette masse énorme, suivant avec une précision mathématique le mouvement de rotation qui lui sera imprimé. Qu'on se figure une tabatière, dont le couvercle fermé, s'ouvre progressivement, et tournant sur sa charnière, vient se placer à angle droit par rapport au reste de la boîte. Tel est précisément le quart de conversion que décrira le monolithe. Posé en ce moment d'une manière horizontale, il va, en prenant son point d'appui sur une pièce de bois arrondie, espèce de charnière, s'élever peu à peu jusqu'à ce qu'il soit en parfait équilibre sur sa base.

Il y aura dix cabestans mus chacun par trente artilleurs, en tout 300 hommes. Ces cabestans seront placés du côté de la Madeleine, sur un plan elliptique, pour que la manœuvre n'éprouve aucune gêne, et que les artilleurs ne soient pas obligés d'enjamber à chaque pas par-dessus des câbles.

C'est M. Lebas qui, placé sur le tailloir du piédestal, commandera la manœuvre au moyen d'un porte-voix. Il est aisé de concevoir combien les mouvements doivent être réguliers et l'obéissance ponctuelle. Sixte-Quint avait, dit-on, menacé de la peine de mort ceux qui transgresseraient les ordres de Fontana. De pareilles menaces ne sont pas nécessaires en France, et l'on trouvera dans le sentiment national, et dans l'intelligence plus encore que dans la parfaite discipline de nos artilleurs, un mobile assez puissant pour qu'ils exécutent en tous points les ordres qui leur seront transmis.

Une enceinte en forme d'hémicycle doit être pratiquée entre l'Obélisque et la grille du pont Tournant. Deux mille personnes y pourront être admises. Le reste de la place de la Concorde, la rue Royale, le pont de la Révolution, les terrasses des Tuileries seront livrées au public.

L'Obélisque sera dressé le Samedi 22 Octobre 1836.

Offerte dès 1820 par Mehémet Ali à l'Angleterre, l'aiguille de Cléopâtre était restée à Alexandrie, jusqu'à ce qu'un ingénieur anglais, John Dixon, prenne la direction des opérations.

Dixon fabriqua en 1875 un container cylindrique en métal, surmonté d'un pont aménagé, équipé d'un mât et de voiles.
Ce curieux objet flottant, le *Cleopatra,* était remorqué par un vapeur, le *SS Olga.*
Le 12 septembre 1878, c'est au tour des Anglais d'ériger «leur» obélisque, Cleopatra's needle, ou plutôt de faire basculer 200 tonnes de granit rose sur un piedestal, au bord de la Tamise.

L'inauguration du Canal de Suez

Faire communiquer la Méditerranée et la mer Rouge et ouvrir ainsi une route directe d'Europe en Asie, c'était déjà le rêve des pharaons. Ferdinand de Lesseps le réalise en 1869, en faisant percer et aménager les 164 km du canal. Un article de l'Illustration *relate le grand jour, le 20 novembre 1869.*

C'est un fait accompli. L'union des deux mers est une réalité. Partie de Port-Saïd le 17, la flotte d'inauguration a mouillé le 20, au port de Suez.

L'impératrice des Français, à bord de l'*Aigle,* l'empereur d'Autriche, à bord du yacht autrichien *Gref,* le prince de Prusse, à bord du yacht *Gril,* le prince de Hollande, à bord d'un bateau à vapeur hollandais, sont arrivés à Suez dans la matinée du 20. Les navires ont mouillé dans la rade. Le khédive est descendu aussitôt de son yacht, arrivé la veille, et s'est rendu en canot à bord de l'*Aigle,* puis à bord du *Gref.*

Trente navires ayant traversé le canal de Port-Saïd à Suez étaient ancrés dans la rade. Le succès est complet.

L'inauguration s'est faite au milieu des pompes religieuses de l'Orient et de l'Occident. Chaque pays avait tenu à honneur d'être représenté à cette fête de l'humanité, dans laquelle la France avait la meilleure part.

M. de Lesseps portait le grand cordon de la Légion d'honneur, et M. Charles de Lesseps la décoration de chevalier.

Le *Times* n'hésite pas aujourd'hui à s'incliner devant la grandeur de l'œuvre et à reconnaître son erreur. Il y a bien encore, dans l'éloquent article qu'il consacre à ce sujet, quelques restrictions où l'on sent un peu d'envie : il affecte de croire que l'Italie et Brindisi profiteront du canal de Suez plus que Marseille et la France ; il laisse entrevoir que la merveille court des risques et pourra ne pas durer. Mais il n'hésite pas à la reconnaître pour une œuvre si grande que «les 400 millions qu'elle a coûté ne sauraient être regrettés, quand bien même le sable parviendrait à reprendre son ancien empire».

l'Illustration, Journal universel

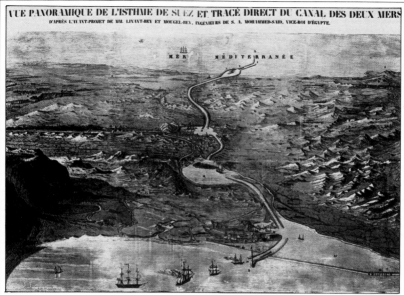

VUE PANORAMIQUE DE L'ISTHME DE SUEZ ET TRACÉ DIRECT DU CANAL DES DEUX MERS

D'APRÈS L'AVANT-PROJET DE MM. LINANT-BEY ET MOUGEL-BEY, INGÉNIEURS DE S. A. MOHAMMED-SAID, VICE-ROI D'ÉGYPTE.

MER   MÉDITERRANÉE

Sous la direction de Lesseps, la Compagnie universelle de Suez avait la responsabilité du financement et de la réalisation des travaux. 15 000 ouvriers venus d'Europe y furent employés, le capital fut constitué d'actions vendues dans tous les grands pays. Ce caractère international du canal fut confirmé par un statut politique assurant sa neutralité et la sécurité de la navigation. Les cérémonies d'inauguration donnèrent lieu à un déploiement de faste, occasion pour Ismail Pacha d'approcher tous les grands d'Europe.

Le voyage en Orient

Artistes et écrivains rêvent tous d'un ailleurs : Italie pour les uns, Orient pour les autres. Le voyage en Orient est une constante dans l'œuvre de certains auteurs du XIXᵉ siècle. Récit d'un itinéraire pour Chateaubriand, correspondance pour Flaubert, souvenirs littéraires pour Maxime Du Camp ou journal pour Eugène Fromentin, la passion de l'exotisme égyptien a pris toutes les formes littéraires.

Que dirais-je de l'Égypte ? Qui ne l'a point vue aujourd'hui ? Le *Voyage* de M. de Volney en Égypte est un véritable chef-d'œuvre dans tout ce qui n'est pas érudition : l'érudition a été épuisée par Sicard, Norden, Pococke, Shaw, Niebuhr et quelques autres ; les dessins de M. Denon et les grands tableaux de l'institut d'Égypte ont transporté sous nos yeux les monuments de Thèbes et de Memphis [...]

Le 20, à huit heures du matin, la chaloupe de la saïque me porta à terre, et je me fis conduire chez M. Drovetti, consul de France à Alexandrie. Jusqu'à présent j'ai parlé de nos consuls dans le Levant avec la reconnaissance que je leur dois ; ici j'irai plus loin, et je dirai que j'ai contracté avec M. Drovetti une liaison qui est devenue une véritable amitié. M. Drovetti, militaire distingué et né dans la belle Italie, me reçut avec cette simplicité qui caractérise le soldat, et cette chaleur qui tient à l'influence d'un heureux soleil. Je ne sais si, dans le désert où il habite, cet écrit lui tombera entre les mains ; je le désire, afin qu'il apprenne que le temps n'affaiblit point chez moi les sentiments ; que je n'ai point oublié l'attendrissement qu'il me montra lorsqu'il me dit adieu au rivage : attendrissement bien noble, quand on en essuie comme lui les marques avec une main mutilée au service de son pays ! Je n'ai ni crédit, ni protection, ni fortune ; mais si j'en avais, je ne les emploierais pour personne avec plus de plaisir que pour M. Drovetti [...]

Je passai cinq autres jours au Caire, dans l'espoir de visiter les sépulcres des Pharaons ; mais cela fut impossible. Par une singulière fatalité, l'eau du Nil n'était pas encore assez retirée pour

Maxime Du Camp voulait être le premier en Europe à rapporter «l'épreuve photographique des monuments et des paysages de caractère» vus en Orient. L'album rassemblant ses photos, publié en 1852, est le premier livre important illustré par la photographie.

aller à cheval aux Pyramides, ni assez haute pour s'en approcher en bateau. Nous envoyâmes sonder les gués et examiner la campagne : tous les Arabes s'accordèrent à dire qu'il fallait attendre encore trois semaines ou un mois avant de tenter le voyage. Un pareil délai m'aurait exposé à passer l'hiver en Égypte (car les vents de l'ouest allaient commencer) ; or cela ne convenait ni à mes affaires ni à ma fortune. Je ne m'étais déjà que trop arrêté sur ma route, et je m'exposai à ne jamais revoir la France, pour avoir voulu remonter au Caire. Il fallut donc me résoudre à ma destinée, retourner à Alexandrie, et me contenter d'avoir vu de mes yeux les Pyramides, sans les avoir touchées de mes mains. Je chargeai M. Caffe d'écrire mon nom sur ces grands tombeaux, selon l'usage, à la première occasion : l'on doit remplir tous les petits devoirs d'un pieux voyageur. N'aime-t-on pas à lire, sur les débris de la statue de Memnon, le nom des Romains qui l'ont entendue soupirer au lever de l'aurore ? Ces Romains furent comme nous *étrangers dans la terre d'Égypte,* et nous passerons comme eux.

Chateaubriand
Itinéraire de Paris à Jérusalem

Le 29 octobre 1849, Gustave Flaubert et son ami Maxime Du Camp quittent Paris pour près de 18 mois. Entre février et juin 1850, ils passeront cinq mois sur le Nil, s'arrêtant dans différents sites, que Flaubert décrit dans ses lettres tout en prenant des notes pour ce qui deviendra les Voyages, *tandis que Maxime Du Camp compose inlassablement son album de photos.*

Ipsamboul : les colosses.
Effet du soleil vu par la porte du grand temple à demi comblé par le sable : c'est comme par un soupirail.

Au fond, trois colosses entrevus dans l'ombre. Couché par terre, à cause du clignement de mes paupières, le premier colosse de droite m'a semblé remuer les paupières. Belles têtes, vilains pieds.

Les chauves-souris font entendre leur petit cri aigu. Pendant un moment, une autre bête criait régulièrement, et cela faisait comme le battant lointain d'une horloge de campagne. J'ai pensé aux fermes normandes, en été, quand tout le monde est aux champs, vers trois heures de l'après-midi... et au roi Mycérinus se promenant un soir, en char, faisant le tour du lac Mœris, avec un prêtre assis à côté de lui ; il lui parle de son amour pour sa fille. C'est un soir de moisson... les buffles rentrent...

Essais d'estampage.

Petit temple : sur les piliers, figures semblables à des perruques fichées sur des champignons de bois.

Que signifie, dans le grand temple, un bloc de maçonnerie, couvert d'inscriptions démotiques, entre le troisième et le quatrième colosse à gauche en entrant ?

Dans le grand temple, nef de gauche, belles représentations de chariots ; les ornements de tête des chevaux sont compliqués et les chevaux généralement longs et ensellés.

Le Jeudi Saint, nous commençons les travaux de déblaiement pour pouvoir dégager le menton d'un colosse extérieur ! [...]

Flaubert,
Voyage en Orient.

Face à Du Camp qui se démène dans tous les sens, fait ses photos, les développe sur place, est attentif à tous les détails du voyage, Flaubert semble absent, regrette sa Normandie. Le récit de son compagnon de route dévoile la véritable nature de l'écrivain, beaucoup plus préoccupé de ses personnages de roman que de la vraie vie...

Gustave Flaubert n'avait rien de mon exaltation, il était calme et vivait en lui-même. Le mouvement, l'action lui étaient antipathiques. Il eût aimé à voyager, s'il eût pu, couché sur un divan et ne bougeant pas, voir les paysages, les ruines et les cités passer devant lui comme une étoile de panorama qui se déroule mécaniquement. Dès les premiers jours de notre arrivée au Caire, j'avais

remarqué sa lassitude et son ennui ; ce voyage, dont le rêve avait été si longtemps choyé et dont la réalisation lui avait semblé impossible, ne le satisfaisait pas. Je fus très net ; je lui dis : «Si tu veux retourner en France, je te donnerai mon domestique pour t'accompagner.» Il me répondit : «Non ; je suis parti, j'irai jusqu'au bout ; charge-toi de déterminer les itinéraires, je te suivrai : il m'est indifférent d'aller à droite ou à gauche.» Les temples lui paraissaient toujours les mêmes, les paysages toujours semblables, les mosquées toujours pareilles. Je ne suis pas certain qu'en présence de l'île d'Éléphantine il n'ait regretté les prairies de Sotteville et qu'il n'ait pensé à la Seine en contemplant le Nil. A Philæ, il s'installa au frais dans une des salles du grand temple d'Isis pour lire *Gerfaut,* qu'il avait acheté au Caire.

Le souvenir de sa mère le tirait du côté de Croisset ; la déconvenue de sa *Tentation de saint Antoine* l'accablait ; bien souvent, le soir, sur notre barque, pendant que l'eau du fleuve clapotait contre les plats-bords et que la constellation de la Croix du Sud éclatait parmi les étoiles, nous avons discuté encore ce livre qui lui tenait tant au cœur ; en outre, son futur roman l'occupait ; il me disait : «J'en suis obsédé.» Devant les paysages africains il rêvait à des paysages normands. Aux confins de la Nubie inférieure, sur le sommet du Djebel-Aboucir, qui domine la seconde cataracte, pendant que nous regardions le Nil se battre contre les épis de rochers en granit noir, il jeta un cri : «J'ai trouvé ! *Eurêka !* *Eurêka !* je l'appellerai Emma Bovary» ; et plusieurs fois il répéta, il dégusta le nom de Bovary en prononçant l'*o* très bref. Par un phénomène singulier, les

impressions de ce voyage lui revinrent toutes à la fois et avec vigueur lorsqu'il écrivit *Salammbô*. Flaubert était ainsi : il ne regardait rien et se souvenait de tout.

Maxime Du Camp,
Souvenirs littéraires

Eugène Fromentin, peintre et écrivain, participe à une croisière sur le Nil lors de l'inauguration du canal de Suez.

30 octobre 1869, samedi. Journée de grande fatigue et de malaise. Je reste à bord. Le soir, à la tombée du jour, je cours à Karnak. J'y vois le

coucher le soleil et la nuit venir sur le grand temple de Séti, et sur cette vaste campagne incomparable. Plaine onduleuse, encore mouillée, chaussée sinueuse, à travers des marécages et des limons, où les buffles enfoncent jusqu'aux genoux. Petits villages.

Cultures en grand désordre où fourragent des animaux. Bouquets de palmiers. Lignes espacées, clairs rideaux de tamaris. Au-delà dans le sud est la chaîne libyque, fuyante, azurée, exquise. Des souffles chauds viennent du nord-est ; ils errent plutôt qu'ils ne soufflent ; on dirait une respiration inégale plutôt que du vent.

Arrivée à Karnak par la grande avenue de sphinx mutilés et le pylône de l'ouest. Admirable entrée. A droite, on aperçoit un pylône intact du côté nord, écroulé du côté sud. Le grand temple. Spectacle extraordinaire. Dimensions énormes. Il faut une échelle pour les mesurer. Rien de plus gigantesque et de plus solennel. Tout autour, un écroulement général, un immense amas de décombres dont chaque parcelle est un bloc monstrueux. Trous pleins d'eau encore, où baignent des tronçons de colonnes. Quatre obélisques dont deux seuls debout. Admirable, celui d'Hatasou, le plus grand obélisque égyptien. Le temple à la nuit ; magnifique allée principale, aboutissant à la porte du nord.

L'obélisque, encore rose au bout, est juste dans l'axe de cette nef sans pareille. Nous y sommes presque seuls. On s'appelle encore et l'on se rallie dans ce chaos, que la nuit rend inextricable. Éperviers sifflant. Belle colonne à chapiteau de lotus, seule intacte. Retour à la nuit, plus chaud peut-être. On ne voit plus rien que la rougeur persistante du ciel. Silhouettes de dattiers. Étangs qui miroitent.

Rentrée par le quartier des almées, fantômes blancs errant dans l'obscurité. Bouges sans nom. Poussière épaisse. Nul bruit ne s'entend quand on y marche.

Fromentin, *Voyage en Égypte*

Des Américains à l'assaut des pyramides

Le 8 juin 1867, un jeune journaliste américain, Samuel Langhorne Clemens, qui commence à se faire un nom sous le pseudonyme de Mark Twain, s'embarque sur le Quaker City *pour le premier grand voyage organisé de l'histoire du tourisme.*

Une marche pénible sous un soleil de plomb nous a conduits au pied de la grande pyramide de Chéops. Ce n'était plus une vision féérique. C'était une vilaine montagne de pierre rugueuse. Chacun de ses côtés gigantesques se composait d'un large escalier qui s'élevait marche après marche en rétrécissant au fur et à mesure jusqu'à s'effiler en un point très haut en l'air. Des insectes des deux sexes − des pèlerins du *Quaker City* − rampaient sur ses pentes vertigineuses et au sommet un petit essaim noir agitait des timbres postes − des mouchoirs, s'entend.

Naturellement, nous avons été assiégés par une cohue d'Égyptiens et d'Arabes musculeux qui voulaient conclure l'affaire et nous traîner jusqu'en haut − comme tous les touristes. (...) Les Hercules qui nous hissaient avaient une façon tout à fait charmante de demander doucement un bakchich sur un ton flatteur ; et une façon tout à fait persuasive et convaincante de prendre un air méchant et de nous menacer de nous jeter dans le vide.

Comme chaque marche était aussi haute qu'une table de salle à manger ; comme il y avait beaucoup, beaucoup de marches ; comme un Arabe s'était saisi de nos bras et nous les arrachait pour nous hisser en sautant d'une marche à l'autre, nous forçant à lever les pieds jusqu'à la poitrine à chaque fois, et à le faire vite et sans cesse, jusqu'au bord de l'évanouissement, qui osera dire qu'escalader les pyramides n'est pas une distraction pleine d'entrain, réjouissante, déchirante, qui fatigue les muscles, tord les os, une distraction parfaitement atroce et épuisante ? J'ai supplié les brutes de ne pas démettre absolument *toutes* mes articulations ; je leur ai dit, redit, et même *juré* que je ne souhaitais battre personne au poteau ; j'ai tout fait pour les convaincre que si j'arrivais en haut le dernier je serais le plus heureux des hommes et leur porterais une reconnaissance éternelle ; je les ai priés, suppliés, conjurés de me laisser m'arrêter et me reposer un moment — un tout petit moment — et ils n'ont répondu qu'en me tordant le bras d'une manière horrible ; et un volontaire bénévole derrière nous a commencé un bombardement de coups de tête décidés, menaçant de mener toute une économie politique au désastre et à la ruine.

Deux fois, l'espace d'une minute, ils m'ont laissé me reposer tandis qu'ils m'extorquaient un bakchich, puis ils ont poursuivi leur folle ascension. Ils voulaient arriver les premiers. Peu leur importait que moi, l'étranger, je fus sacrifié sur l'autel de leur affreuse ambition. Mais la joie fleurit toujours dans la peine. Même en ces heures sombres j'avais une douce consolation. Car je savais que si ces mahométans ne se repentaient pas ils iraient directement en enfer un jour. Or ils ne se repentent jamais ; ils n'abandonnent jamais leur paganisme. Cette pensée m'a calmé, elle m'a réjoui, et je me suis effondré au sommet, flasque et épuisé, mais heureux, oh ! tellement heureux et serein au fond de moi.

Marc Twain
Le Voyage des Innocents
(un pique-nique dans l'Ancien Monde)

L'escalier naturel formé par les assises de la pyramide est loin d'être facile à gravir ! Les blocs de pierre mesurent en effet entre 0,65 m et 0,90 m ! (une marche classique fait 20 cm). Pourtant, les touristes ne semblent pas rebutés par tant d'efforts. En 1870 le consulat des États-Unis au Caire enregistre trois cents voyageurs américains.

Un officier de marine à Philæ

En janvier 1907, Pierre Loti, invité par le khédive, entame une lente remontée du Nil. Il est bouleversé par les sites, mais plein d'aversion pour ceux qu'il nomme les « Cookies » et les « Cookesses », les touristes de l'agence Cook.

L'embarcadère pour Philæ. Quantité de barques sont là prêtes, car les touristes, alléchés par maintes réclames, affluent maintenant chaque hiver en dociles troupeaux (...).

Nous sommes dans un grand décor tragique, sur un lac environné d'une sorte d'amphithéâtre terrible que dessinent de tous côtés les montagnes du désert.

C'était au fond de cet immense cirque de granit que le Nil serpentait jadis, formant des îlots frais, où l'éternelle verdure des palmiers contrastait avec ces hautes désolations érigées alentour comme une muraille. Aujourd'hui, à cause du «barrage» établi par les Anglais, l'eau a monté, monté, ainsi qu'une marée qui ne redescendrait plus ; ce lac, presque une petite mer, remplace les méandres du fleuve et achève d'engloutir les îlots sacrés. Le sanctuaire d'Isis – qui trônait là depuis des millénaires au sommet d'une colline chargée de temples, de colonnades et de statues – émerge encore à demi, seul et bientôt noyé lui-même ; c'est lui qui apparaît là-bas, pareil à un grand écueil, à cette heure où la nuit commence de confondre toutes choses.

Avant d'aborder au sanctuaire d'Isis, nous touchons à ce kiosque de Philæ, reproduit par les images de tous les temps, célèbre à l'égal du sphinx ou des pyramides. Il s'élevait jadis sur un piédestal de hauts rochers, et les dattiers balançaient alentour leur bouquets de palmes aériennes. Aujourd'hui, il n'a plus de base, ses colonnes surgissent isolément de cette sorte de lac suspendu et on le dirait construit dans l'eau à l'intention de quelque royale naumachie. Nous y entrons avec notre barque – et c'est un port bien étrange, dans sa somptuosité antique ; un port

d'une mélancolie sans nom, surtout à cette heure jaune du crépuscule extrême, et sous ces rafales glacées que nous envoient sans merci les proches déserts. Mais combien il est adorable ainsi, le kiosque de Philæ, dans ce désarroi précurseur de son éboulement ! Ses colonnes, comme posées sur de l'instable, en deviennent plus sveltes, semblent porter plus haut encore leurs chapiteaux en feuillage de pierre : tout à fait kiosque de rêve maintenant, et que l'on sent si près de disparaître à jamais sous ces eaux qui ne baissent plus...

Au sortir du kiosque, notre barque, sur cette eau profonde et envahissante, parmi les palmiers noyés, fait un détour, afin de nous conduire au temple par le chemin que prenaient à pied les pèlerins du vieux temps, par la voie naguère encore magnifique, bordée de colonnades et de statues. Entièrement engloutie aujourd'hui, cette voie-là, que l'on ne reverra jamais plus ; entre ses doubles rangées de colonnes, l'eau nous porte à la hauteur des chapiteaux, qui émergent seuls et que nous pourrions toucher de la main.

Le temple. Nous sommes arrivés. Au-dessus de nos têtes se dressent les énormes pylônes, ornés de personnages en bas-relief : une Isis géante qui tend le bras comme pour nous faire signe, et d'autres divinités au geste de mystère.

La porte, qui s'ouvre dans l'épaisseur de ces murailles, est basse, d'ailleurs à demi noyée, et donne sur des profondeurs déjà très en pénombre. Nous entrons à l'aviron dans le sanctuaire.

Halte et silence ; il fait sombre, il fait froid ; tout à coup le bruit d'une chute pesante, suivie de remous sans fin : quelque grande pierre sculptée qui vient de plonger à son heure, pour rejoindre dans le chaos noir d'en dessous celles déjà disparues, et les temples déjà engloutis, et les vieilles églises coptes, et la ville des premiers siècles chrétiens, – tout ce qui fut jadis l'île de Philæ, la «perle de l'Égypte», l'une des merveilles du monde.

P.S. – La noyade de Philæ vient, comme on sait, d'augmenter de soixante-quinze millions de livres le rendement annuel des terres environnantes. Encouragés par ce succès, les Anglais vont, l'année prochaine, élever encore de six mètres le barrage du Nil ; du coup, le sanctuaire d'Isis aura complètement plongé, la plupart des temples antiques de la Nubie seront aussi dans l'eau, et des fièvres infecteront le pays. Mais cela permettra de faire de si productives plantations de coton !...

Pierre Loti,
La mort de Philæ

Le Serapeum de Memphis

Dans un texte de Strabon, Auguste Mariette trouve un jour une allusion à une avenue de sphinx menant à la tombe des taureaux Apis, à Memphis. Il décide de fouiller. En novembre 1851, après avoir effectivement localisé le site et fait dégager toute l'avenue, il arrive à une tombe scellée : on peut voir aujourd'hui au Louvre les plus belles trouvailles du Serapeum.

Visite à Memphis en 30 av. J.-C.

Memphis possède plusieurs temples, dont un consacré à Apis, c'est-à-dire à Osiris. Là, dans un enclos particulier est nourri le taureau Apis, considéré comme une personne divine. Le taureau Apis n'a de blanc que le front et quelques autres petites taches, ailleurs il est tout noir ; ce sont là les signes qui, à la mort du titulaire, guident toujours le choix du successeur. Son enclos est précédé d'une cour contenant un autre enclos qui sert à loger sa mère. A une certaine heure du jour, on lâche Apis dans cette cour, surtout pour le montrer aux étrangers, car, bien qu'on puisse l'apercevoir par une fenêtre dans son enclos, les étrangers tiennent beaucoup à le voir aussi dehors en liberté ; mais après l'avoir laissé s'ébattre et sauter quelque temps dans la cour, on le fait rentrer dans sa maison. Le temple d'Apis est tout à côté de l'Hephestaeum (temple de Ptah), temple non moins magnifique qui, entre autres détails remarquables, offre un *naos* (tabernacle) de dimensions extraordinaires. Devant le temple, dans l'avenue qui y mène, se dresse un colosse monolithe. L'usage est de donner dans cette avenue le spectacle de combats de taureaux ; on élève des taureaux pour ces combats, comme on élève ailleurs des chevaux pour les courses. Une fois lâchés dans l'avenue, ces taureaux engagent une mêlée générale, dont le vainqueur reçoit un prix.

Strabon, XVIII-31

Du haut de la citadelle, au Caire, Mariette décide de fouiller

Le calme était extraordinaire. Devant moi s'étendait la ville. Un brouillard épais et lourd semblait être ombé sur elle, noyant toutes les maisons jusque par-dessus les toits.

De cette mer profonde émergeaient trois cents minarets comme les mâts de quelque flotte submergée. Bien loin dans le sud, on apercevait les bois de dattiers qui plongent leurs racines dans les murs écroulés de Memphis. A l'ouest, noyées dans la poussière d'or et de feu du soleil couchant, se dressaient les pyramides. Le spectacle était grandiose, il me saisissait, il m'absorbait avec une violence presque douloureuse. On excusera ces détails peut-être trop personnels ; si j'y insiste, c'est que le moment fut décisif. J'avais sous les yeux Giseh, Abousir, Saqqarah, Dahchour, Myt-Rahyneh. Ce rêve de toute ma vie prenait un corps. Il y avait là, presque à la portée de ma main, tout un monde de tombeaux, de stèles, d'inscriptions, de statues. Que dire de plus ?

Le lendemain, j'avais loué deux ou trois mules pour les bagages, un ou deux ânes pour moi-même ; j'avais acheté une tente, quelques caisses de provisions, tous les *impedimenta* d'un voyage au désert, et, le 20 octobre 1850 dans la journée, j'étais campé au pied de la grande pyramide.

Mariette

Dans une publication destinée au grand public, il rend compte de l'évolution des travaux

La vue 1 est prise pendant les travaux. La dureté excessive du sable amoncelé pendant des siècles a seule permis d'ouvrir des tranchées dont les parois étaient presque verticales. Les opérations ne se sont pourtant pas toujours accomplies sans difficulté, et quelquefois le sable se détachant par

masses et se précipitant au fond des trous a occasionné des accidents. On aura une idée des irrésistibles lenteurs que l'inexpérience des ouvriers, l'absence d'outils, et la nature du sable opposaient à nos travaux, quand on saura que, dans cette partie de la tranchée ouverte à travers l'allée des sphinx, nous n'avancions pas d'un mètre par semaine.

La vue 2 est prise du pylône principal du Serapeum égyptien, en regardant l'est. Tout ce qu'on aperçoit ici était, avant le commencement des fouilles, totalement plongé dans le sable, qui formait en cet endroit une grande plaine toute nue. Les deux escarpements à droite et à gauche du dessin montrent la hauteur primitive de la couche de sable entassée par-dessus les constructions. A droite, un mur d'appui, encore inconnu à l'époque où le dessin a été exécuté, soutenait toute cette singulière série d'animaux

symboliques dont je donne ci-après deux spécimens. C'est à l'extrémité orientale du mur d'appui que se trouvait l'hémicycle sur lequel étaient rangées les statues de onze poètes et philiosphes grecs. On remarquera, du reste, qu'un temple de Serapis pouvait seul montrer une chapelle du style purement grec à côté d'une chapelle du style purement égyptien. Le taureau qu'on tire du naos est la belle statue d'Apis, aujourd'hui conservée au Louvre. En avant des deux chapelles, le dessin montre les traces d'un dallage formé de longues pierres plates assez soigneusement appareillées. Au mois de mai 1851, en levant l'une de ces pierres, nous nous aperçûmes que tout le sable sur lequel le dallage est posé était rempli de statuettes de bronze représentant toutes les divinités du panthéon égyptien. En une seule journée, nous en recueillîmes cinq cent trente-quatre. Le même fait a été observé dans les autres parties du temple. Comme, dans les idées égyptiennes, le sable était réputé impur, il est à croire que les Égyptiens le purifiaient en y mêlant des images de leurs dieux.

La planche 3 représente la galerie principale de la tombe d'Apis. Cette tombe, creusée tout entière dans le roc vif, est en effet formée de plusieurs galeries qui se coupent. La plupart d'entre elles offrent, à droite et à gauche, des chambres latérales dans lesquelles étaient déposées les momies divines. La recherche de la tombe d'Apis a été, presque dès le début des fouilles, l'objet constant de nos proccupations. Les bouleversements qu'avait subis le Serapeum et dont j'avais facilement reconnu les traces, ne laissaient que peu de chose à espérer du temple proprement dit ; la tombe d'Apis, au contraire, creusée dans le rocher, devait s'être mieux conservée dans son état primitif. Mes espérances n'ont pas été trompées. La tombe d'Apis est tout un édifice souterrain, et quand, le 12 novembre 1851, j'y pénétrai pour la première fois, j'avoue que je fus saisi d'une impression d'étonnement qui, depuis cinq ans, ne s'est pas encore tout à fait effacée de mon esprit. Par un hasard que j'ai peine à m'expliquer, une chambre de la tombe d'Apis, murée en l'an 30 de Ramsès II, avait échappé aux spoliateurs du monument, et j'ai eu le bonheur de la

retrouver intacte. Trois mille sept cents ans n'avaient pas changé sa physionomie primitive. Les doigts de l'Égyptien qui avait fermé la dernière pierre du mur bâti en travers de la porte étaient encore marqués sur le ciment. Des pieds nus avait laissé leur empreinte sur la couche de sable déposée dans un coin de la chambre mortuaire. Rien ne

L'ancien musée archéologique du Caire, le musée du Boulaq était situé au bord du Nil, dans d'anciens bâtiments de commerce. Peu à peu, les archéologues et les différentes nations accepteront d'y laisser le produit de leurs fouilles. Mariette en fut le premier directeur, y vécut et se fit enterrer dans le jardin. Sa tombe a été depuis transférée dans un parc du nouveau musée.

manquait à ce dernier asile de la mort où reposait, depuis près de quarante siècles, un bœuf embaumé. Il est plus d'un voyageur qui, sans doute, s'effraierait à l'idée de vivre seul dans un désert, pendant quatre années. Mais des découvertes comme celle de la chambre de Ramsès II laissent des émotions devant lesquelles tout s'efface et que l'on désire toujours renouveler. Du reste, la sépulture était digne du prince qui en avait ordonné l'arrangement, et quand on voit au Louvre les magnifiques bijoux, les statuettes et les vases que nous y avons recueillis, on s'explique très bien comment, plus tard, à une époque où le culte de Sérapis jetait tout son éclat, on ait pu, au dire de Diodore, dépenser pour les seules funérailles d'un Apis une somme de 500 000 francs.

La planche 4 donne la vue de l'une des chambres latérales de la tombe d'Apis. Au centre s'élève un de ces énormes sarcophages qu'on retrouve dans toutes les parties de la tombe, depuis le règne d'Amasis. Tous sont de granit poli et luisant ; ils ont de douze à treize pieds de hauteur, de quinze à dix-huit pieds de longeur, et le plus petit d'entre eux ne pèse pas moins de soixante-cinq mille kilogrammes. Les chambres elles-mêmes sont au nombre de soixante-quatre. Les pierres amoncelées en forme de mur sur le couvercle de ce monument sont, je crois, du temps de la spoliation de la tombe. Selon un usage encore aujourd'hui en vigueur dans quelques parties de l'Orient, elles y ont été placées en signe de mépris, après que le cadavre conservé dans l'intérieur du monolithe eut été profané et mis en pièces.

Mariette,
Le Serapeum de Memphis

La résurrection de Karnak

L'immense citadelle du dieu Amon était elle aussi tombée dans l'oubli, gardant pour elle ses secrets. Depuis 400 ans, elle les redévoile peu à peu ; les archéologues reconstituent ce qui fut le grand temple, remettent à jour les structures d'origine. Deux d'entre eux, Claude Traunecker et Jean-Claude Golvin, qui participent aux travaux, retracent l'histoire du site.

Visiteurs et fouilleurs de Karnak

Karnak. Été 1589. Sous un soleil de plomb un homme se dirige vers la grande salle hypostyle. «Et dès que j'ai pénétré à l'intérieur, j'ai cru, à première vue, rêver en voyant un si grand nombre de colonnes, et de quelle épaisseur ! Toutes en forme d'arbre», écrit-il. Son enthousiasme s'explique aisément. Cet homme, un Vénitien dont on ignore le nom, vient de braver mille dangers pour remonter le Nil afin de «voir tant de superbes constructions», dont il avait entendu parler au Caire. Il est le premier Européen qui laisse une trace de son passage en Haute Égypte. Malheureusement, sa relation de voyage n'est ni imprimée ni diffusée. Son texte dormira dans les archives et bibliothèques italiennes jusqu'en 1929 ! Tous les voyageurs qui lui succèdent ignorent qu'ils ont eu un prédécesseur contemporain du bon roi Henri IV.

Pendant près d'un siècle, aucun des voyageurs européens ne se risque en Haute Égypte. Ils se contentent de visiter la Basse Égypte et les ruines situées près du Caire comme Gizeh et Saqqara (...) C'est au hasard d'une tournée auprès des coptes de Haute Égypte que les pères capucins Protais et François découvrent en 1668 les ruines de Karnak et de Louqsor. De retour au Caire, le père Protais rédige une

description enthousiaste des ruines. Ce texte est publié dès 1672 dans une collection de récits de voyages (...)

Savants et curieux des XVIIe et XVIIIe siècles

A partir de cette époque, plusieurs voyageurs tentent d'atteindre Karnak. Mais la distance est grande entre Le Caire et Louqsor, et le voyage est dangereux pour les étrangers. En 1673 Vansleb, un dominicain allemand au service de Louis XIV, passe outre aux ordres de Colbert qui l'avait chargé de collecter les manuscrits anciens pour la bibliothèque de Sa Majesté et quitte Le Caire pour essayer de gagner Louqsor. La population le prenant pour un dangereux magicien, Vansleb doit rebrousser chemin devant l'hostilité générale. D'autres seront plus heureux. Ainsi, en 1699 et en 1717, Paul Lucas, aventurier français à la fois corsaire, don Juan, commerçant, orfèvre, médecin et à l'occasion explorateur, réussit à atteindre Louqsor. Mais sa description de Karnak est tellement confuse qu'il est permis de douter de la réalité de sa visite (...)

Il faut attendre l'année 1722 pour trouver un personnage, certes moins pittoresque que «Monsieur Paul», mais capable d'étudier et d'identifier les ruines de Haute Égypte.

Le savant jésuite Claude Sicard connaît à fond le pays et sa langue. C'est à lui que revient l'honneur d'avoir reconnu dans les ruines de Louqsor les restes de l'ancienne Thèbes. Au cours du XVIIIe siècle, les voyageurs vont se multiplier. Mais les voyages les plus remarquables de cette époque sont ceux de l'ingénieur naval danois F. Norden et du révérend anglican R. Pococke. Nous leur devons les premiers plans et dessins de Karnak. Jusqu'à la fin du siècle, plusieurs voyageurs visiteront Thèbes. L'Europe se passionne pour l'Orient. En 1759, un médecin italien, le docteur Donati, fouille à Karnak pour le compte de princes italiens.

Mais la première campagne d'études et de relevés digne de ce nom est à mettre au compte des savants qui accompagnent Bonaparte en Égypte. En 1799 Jollois et Devilliers, deux jeunes ingénieurs, consacrent une grande partie de leur temps à l'étude de Karnak. Pour eux et leurs compagnons, Karnak était un immense palais où résidait un souverain puissant et sage. Les magnifiques planches de la *Description de l'Égypte* révèlent au public européen la véritable grandeur de Karnak. Encore aujourd'hui, ces gravures vieilles de près de deux siècles sont utilisées par les chercheurs.

Karnak au XIXe siècle

L'histoire de Karnak au cours du XIXe siècle peut se subdiviser en trois volets. Jusqu'en 1828, profitant de la relative sécurité qui règne dans le pays depuis l'accession au pouvoir de Méhémet Ali, «antiquaires» et trafiquants mettent le site au pillage. Les consuls d'Angleterre (Henry Salt) et de France (Bernardino Drovetti) se livrent à une lutte féroce pour la possession d'un terrain de fouille aussi prometteur. Un Italien de Padoue, le célèbre Belzoni, se met au service de Salt. Ses fouilles font des jaloux et l'affaire se règle à coups de fusil!

En 1828, J.-F. Champollion visite Karnak. Copiant sans relâche les textes qui couvrent les parois de la demeure d'Amon, il réussit à faire parler les ruines. Oubliés depuis vingt siècles, les

noms des constructeurs de Karnak retrouvent leur place dans l'histoire. De 1828 à 1858, le pillage ne cesse pas mais aux voyageurs «intéressés» se mêlent les premiers égyptologues. Des missions scientifiques étudient les temples. La plus célèbre est celle de l'Allemand Richard Lepsius (1843). La même année, le Français Prisse d'Avennes, un étonnant personnage, à la fois artiste, archéologue et aventurier, soucieux de «l'intérêt de la France», démonte la chapelle des Ancêtres de Karnak pour la transporter à Paris. Artistes daguerrotypistes et, depuis 1850, photographes font le pèlerinage de Haute Égypte et en ramènent de précieux documents. Mais la situation reste catastrophique. En 1840, les pylônes de l'allée sud servent encore de carrière.

Enfin, en 1858, un Français, Auguste Mariette, réussit à endiguer la débâcle. Ayant acquis la confiance du vice-roi Saïd, il est nommé directeur du service des Antiquités créé pour lui. La même année, il ouvre une série de fouilles de grande envergure au cœur du temple d'Amon. Dorénavant, les fouilles seront réglementées. Les campagnes se succèdent (1860 grande cour, salle hypostyle, zone centrale ; 1874 temple de Khonsou). Mais cela ne suffit pas. Mariette est avant tout à la recherche de documents historiques. Il faut aussi consolider et restaurer. Déjà en 1861 une colonne de la salle hypostyle récemment dégagée s'est écroulée. En 1865 c'est une porte située entre le IVe et le Ve pylône qui s'effondre. La tâche est énorme.

En 1895, De Morgan, un des successeurs de Mariette, crée un organisme spécialement chargé du site : la Direction des travaux de Karnak. Il en confie la responsabilité à un jeune égyptologue français, Georges Legrain.

Georges Legrain et ses successeurs

Courageusement Legrain entreprend le dégagement systématique du temple d'Amon, de l'ouest vers l'est. Les monuments sont restaurés et consolidés au fur et à mesure qu'ils sortent de terre. Legrain étudie le mouvement des eaux souterraines. Mais le 3 octobre 1899, c'est la catastrophe ! Onze colonnes de la salle hypostyle s'effondrent. Cependant Legrain ne perd pas courage. Il consacre près de dix années de son énergie à réparer les dégâts et consolider les fondations de la salle hypostyle. Avec des moyens très réduits et des procédés que n'auraient pas reniés ses lointains prédécesseurs, tel l'usage d'énormes remblais de terre, il parvient à remonter les colonnes effondrées de la salle hypostyle. 1903 est une date faste dans les annales de Karnak. Legrain découvre enterrées dans la cour du VIIe pylône des centaines de statues de prêtres et de fonctionnaires de Karnak de toutes époques. Elles avait été déposées là au début de l'époque ptolémaïque car elles encombraient les salles et cours du temple. Jusqu'en 1917, date de sa mort prématurée, Legrain tour à tour chef de chantier, dessinateur, épigraphiste, égyptologue, technicien, architecte et même ethnologue, poursuit sa tâche.

De 1921 à 1925, un architecte français, Maurice Pillet, continue l'œuvre de Legrain. Le IIIe pylône, véritable mine de monuments réemployés, livre de nombreux documents. En 1924 il évite de justesse une nouvelle catastrophe dans la moitié sud de la salle hypostyle. Son successeur, l'architecte H. Chevrier, directeur des travaux de Karnak de 1926 à 1954, a la joie de découvrir,

soigneusement démonté et réemployé dans le IIIᵉ pylône, ce joyau de l'architecture égyptienne qu'est la chapelle blanche de Sésostris Iᵉʳ. Chevrier remonta ce monument dans le musée en plein air. Fouilleur heureux, il eut la chance de mettre au jour les étonnantes statues colossales d'Aménophis IV, à l'est du temple d'Amon.

Il serait long et fastidieux de citer toutes les fouilles et travaux à Karnak au cours du XXᵉ siècle. A ceux du service des Antiquités, puis de l'Organisation des antiquités dont dépend l'actuel Centre franco-égyptien des temples de Karnak créé en 1967, il faut ajouter les missions étrangères tel l'Institut français d'archéologie orientale à Karnak Nord, les missions canadiennes à Karnak Est, anglaises, suisses et américaines à Karnak Sud ! Et pourtant, malgré les apparences, le site est à peine effleuré. Les principaux monuments sont dégagés, mais sur les 123 hectares de la zone archéologique seuls 14 hectares ont été fouillés jusqu'au sol antique (11,4 %). Les fouilles en profondeur ne représentent que 3,6 hectares soit 2,9 % de l'ensemble fouillé.

L'avenir peut donc encore réserver des surprises. Il faut en priorité assurer la sauvegarde du magnifique ensemble architectural de Karnak et poursuivre l'œuvre commencée par Legrain.

Claude Traunecker
et Jean-Claude Golvin.
Histoire et Archéologie

La renaissance de Philæ

Victime des premiers travaux sur le Nil, au début du siècle, l'île de Philæ ne ressemblait plus en rien au site idyllique décrit par les voyageurs d'autrefois. Une campagne de l'Unesco a permis de la sauver, en transportant l'ensemble des monuments sur une île voisine, plus élevée.

Avant le commencement des travaux, en 1972, l'île de Philæ était submergée durant toute l'année : le niveau des eaux s'élevait à un tiers de la hauteur des monuments. On construisit autour de l'île un immense batardeau constitué de deux rangées de palplanches en acier entre lesquelles on déversa un million de mètres cubes de sable ; les eaux d'infiltration furent évacuées par pompage. Avant leur démontage en quelque 40 000 blocs, puis leur transport à Agilkia, les monuments furent nettoyés et mesurés par photogrammétrie, une technique spéciale qui permit aux ingénieurs de reconstituer, au millimètre près, leur aspect original. Le démontage, le transport et la reconstitution des monuments (poids total : 27 000 tonnes, certains blocs pesant seuls jusqu'à 25 tonnes) furent effectués dans le temps record de trente mois.

Sur l'île sainte émergeant des eaux du Nil, les monuments étaient restés pratiquement intacts depuis l'antiquité. Un premier barrage est construit en 1902 et les monuments sont en partie immergés. La situation s'aggrave avec les surélévations successives et de 1934 à 1964, ils seront engloutis à moitié, sauf pendant les quelques mois où l'ouverture des vannes permettait d'évacuer l'eau.

Le sauvetage d'Abou Simbel

En 1956, l'Égypte prenait la décision de construire un nouveau barrage à Assouan, ce qui constituait une menace de destruction totale de tous les sites et monuments situés sur les rives du Nil nubien.

Devant la gravité et l'imminence du danger, l'Unesco lançait, le 8 mars 1960, une campagne internationale pour le sauvetage des sites et monuments de la Nubie. Du fait que l'égyptologie disposait déjà d'un grand nombre de chercheurs expérimentés, les États membres de l'Unesco purent répondre rapidement et favorablement à l'appel.

Au cours des huit années prévues avant la mise en eau du barrage, quarante missions archéologiques explorèrent la zone menacée et plus de vingt monuments furent sauvés, de sorte que l'archéologie de cette région nubienne est maintenant la mieux connue de toute la vallée du Nil.

Les travaux les plus spectaculaires de la campagne lancée par l'Unesco furent certainement le découpage des deux temples rupestres d'Aboul Simbel, suivi de la reconstitution du site et des sanctuaires sur le plateau qui domine les eaux du nouveau lac.

Lorsque l'Unesco décida de déplacer les deux temples, l'entreprise paraissait impressionnante.

Comme on l'a noté : «On peut démonter un temple, on ne démonte pas une montagne.» Or les temples d'Abou Simbel étaient creusés dans la falaise de grès ; les quatre colosses du grand temple se dressaient d'une seule pièce, taillés dans le massif rocheux ; les salles et chapelles intérieures de ce

L e terme de colosses s'applique vraiment aux statues d'Abou Simbel. Leur échelle extraordinaire est bien visible grâce au rapport entre la taille des ouvriers et les éléments découpés, tête, pieds, qui à eux seuls, sont déjà trois ou quatre fois plus grands ! Certains blocs pèsent 20 tonnes… Cette phase de démontage et de transport des statues se passait en 1965-1966.

Le plan général du site apparaît clairement sur le dessin. En bas, à gauche, le grand temple aux colosses assis ; à droite, le petit temple, tous deux protégés du Nil par une vaste digue. Derrière le grand temple, la montagne a été évidée, pour démonter les salles intérieures. L'ensemble est reconstitué au niveau supérieur, hors d'atteinte des eaux. Deux grands dômes de béton recouverts de rochers et de sable restituent la forme initiale de la montagne.

sanctuaire s'enfonçaient sur plus de 60 m au cœur de la montagne. Bien que plus petit, le temple de la Reine possédait six colosses engagés dans le rocher et mesurant 10 m de haut, hauteur d'un immeuble moderne de trois étages ! Ceux du grand temple ont, pour leur part, 20 m de haut, leur tête mesure près de 4,20 m d'une oreille à l'autre, oreille dans laquelle on pourrait s'asseoir confortablement car elle a plus d'un mètre de hauteur ! Notons, incidemment : l'œil de 0,84 m, le nez de 0,98 m, la main de 2,64 m posée à plat sur le genou. Comment sauver ces monuments, d'une telle élégance malgré leurs dimensions prodigieuses ?

Trois projets furent étudiés. Le premier prévoyait la construction d'un barrage en arc de cercle qui laissait les temples en place, mais à l'intérieur d'une immense cuvette de quelque 100 m de profondeur. Ce contre-barrage aurait coûté à lui seul aussi cher que le nouveau barrage d'Assouan. Dans le deuxième projet, les deux temples devaient être enfermés dans des caissons de ciment, puis la montagne était découpée autour et au-dessous du gigantesque bloc ainsi constitué qui était enfin soulevé par des vérins et, tel un cake monstrueux, transporté à sa place définitive sur le plateau. Un peu moins onéreux, ce fut le troisième projet qui fut adopté. Il proposait de détacher de la montagne en les découpant toutes les parties sculptées ou décorées des temples. Les fragments ne dépasseraient pas vingt tonnes et seraient transportés au moyen de grues et camions jusqu'à l'emplacement choisi pour reconstituer les temples. On créerait ensuite alentour un paysage aussi semblable que possible à l'environnement ancien. Les temples d'Abou Simbel remontés comme des puzzles démesurés, se dressent maintenant à 200 m environ du site primitif, et un aéroport construit à proximité, complété d'un hôtel de luxe, permet de les visiter beaucoup plus facilement qu'auparavant.

Canges, dahabiehs et autres felouques accostaient sur le sable, devant les temples, déposant là les voyageurs éblouis par le site.

Des monuments vieux de trois mille ans explorés seulement depuis un siècle et demi

C'était le Suisse Burckhardt qui, en 1813, voyageant en Nubie déguisé en marchand syrien sous le nom d'Ibrahim Ibn Abdallah, avait le premier vu et décrit le site d'Abou Simbel, ou Ipsambal comme il l'appelle.

Les mercenaires grecs de l'armée égyptienne avaient admiré Abou Simbel et gravé leurs noms sur les jambes des colosses, en 591 av. J.-C., lors d'une expédition militaire de Psammétique II contre le pharaon soudanais Aspelta. A cette époque, le temple commençait déjà à s'ensabler. Après cette date, l'existence même d'Abou Simbel semble s'effacer de la mémoire des hommes. Aucun des auteurs classiques, grecs ou romains, n'en parle. En 1799, le Nubien Haggi Mohammed, interrogé par les savants de l'expédition française, dresse une longue liste des villages nubiens entre la première et la deuxième cataracte; il cite celui d'«Absimbil», mais sans mentionner de ruines, alors qu'il le précise pour de nombreux autres sites, tels Kertassi, Debod, Taffeh, Kalabcheh, Derr, Ibrim, dont les temples sont bien moins importants que ceux d'Abou Simbel.

Lorsque, sur les indications d'Arabes, Burckhardt parvient enfin à Abou Simbel le 22 mars 1813, il arrive par le haut plateau désertique et, descendant dans la vallée, il visite le petit temple, celui de la reine Nefertari, le seul qui lui ait été signalé. Il décrit longuement ce sanctuaire dans son journal, puis il ajoute : «Ayant, comme je le supposais, vu toutes les antiquités d'Ipsambal, je me disposais à remonter par le même chemin que j'avais pris pour descendre, quand, par bonheur, ayant tourné plus au sud, je suis tombé sur ce qui est encore visible de quatre immenses statues colossales taillées à même la montagne à quelque 200 mètres du temple [de Nefertari]. Ils

se dressent dans une profonde échancrure de la montagne. Il est désolant qu'ils soient maintenant presque entièrement recouverts de sable. Une tête entière, une partie de la poitrine et des bras de l'une des statues émergent encore à la surface. De celle qui est à côté, on ne voit presque rien, la tête étant brisée et le corps couvert de sable jusqu'au-dessus des épaules. Des deux autres, seules les coiffures sont visibles. Il est difficile de savoir si ces statues sont assises ou debout.»

Ainsi, en 1813, les Nubiens eux-mêmes ne connaissaient pas le grand temple, et celui-ci était tellement ensablé que Burckhardt n'était même

pas sûr qu'il existât. Il écrit, en effet, «Sur la paroi rocheuse, au milieu des quatre colosses, se trouve la statue d'Osiris, à tête de faucon surmontée du disque, sous laquelle je soupçonne, si on pouvait enlever le sable, que l'on pourrait découvrir un vaste temple dont les quatre statues colossales servent probablement à décorer l'entrée.»

L'énorme masse de sable qui masquait le temple semblait alors impossible à évacuer

En 1813, en effet, on ne disposait d'aucun moyen mécanique pour enlever des millions de mètres cubes de sable accumulés contre la montagne et le temple. Il eut fallu des centaines d'hommes pour les déplacer et la Nubie, presque inhabitée à cette époque, ne pouvait fournir une telle main-d'œuvre.

Pour s'assurer de la présence d'un temple, le seul moyen était d'enlever le sable au-dessous de la tête d'Osiris (en fait Rê-Horakhte) vue par Burckhardt, et de se faufiler par la porte – si porte il y avait. C'est là que l'on retrouve les consuls marchands d'antiquités, alléchés par le récit de Burckhardt. Drovetti et Salt veulent pénétrer dans ce temple, persuadés que celui-ci recèle des trésors.

Drovetti atteignit le premier Abou Simbel en mars 1816. Avec beaucoup de difficultés, et moyennant 300 piastres, il obtint du cheikh du village de faire commencer le déblaiement pendant que lui-même allait jusqu'à Ouadi Halfa voir la grande cataracte. A son retour, quelques jours plus tard, rien n'avait été fait. Les villageois, superstitieux, avaient refusé de travailler, craignant les malheurs qui leur adviendraient s'ils tentaient d'entrer dans le temple. Le cheikh rendit l'argent, Drovetti repartit.

Salt, lui, demanda à Belzoni, alors à Louxor, de se charger de l'opération. Celui-ci, arrivé à Abou Simbel en septembre 1816, mesura aussitôt les difficultés qui l'attendaient. Dégager toute la façade exigerait au moins un an, avec une énorme main-d'œuvre ; or il n'avait ni le temps, ni les hommes, ni l'argent nécessaires.

De toute évidence, il fallait concentrer l'effort sur la porte éventuelle entre les deux colosses du centre. Pour atteindre cette porte, il calcula qu'il fallait enlever 35 pieds (plus de 10 mètres) de sable, d'un sable qui coulait sans arrêt du haut de la falaise, ce qui l'amenait, selon son expression, «à essayer de faire un trou dans de l'eau». Il tenta cependant de placer des palissades pour retarder la coulée du sable et de mouiller les parois du trou au fur et à mesure qu'il descendait. Après une semaine d'efforts, il n'avait pas atteint la moitié de la profondeur nécessaire, il n'avait plus d'argent, il se décida à rentrer à Louxor, en se promettant de revenir.

Ce fut un an plus tard que Belzoni, accompagné de deux capitaines de la Royal Navy, put revoir Abou Simbel. Avec les mêmes méthodes qu'en 1816, il leur fallut vingt jours de durs efforts pour découvrir le haut d'une porte. Par un étroit passage aménagé entre le linteau et le sable dégagé, ils se glissèrent à l'intérieur de l'énorme excavation qui s'ouvrait à leurs yeux. Belzoni a laissé un récit enthousiaste de ce qu'il découvrit alors : l'un des sanctuaires les plus magnifiques, décoré de bas-reliefs, de peintures, de statues colossales de

toute beauté. Toutefois, malgré son enthousiasme, Belzoni fut très déçu : ce magnifique temple ne contenait pas les trésors qu'il espérait, pas même de petits monuments, stèles ou statues, qu'il aurait pu emporter. Le butin fut mince : une petite statue de singe, deux sphinx à tête de faucon, la statue d'un vice-roi de Kouch. Le tout, remis à Salt, se trouve maintenant au British Museum.

Leurs provisions épuisées, Belzoni et ses compagnons quittèrent Abou Simbel le 4 août 1817, trois jours après y avoir pénétré les premiers. Ils laissaient l'ouverture telle qu'ils l'avaient aménagée et demandèrent aux villageois voisins de la maintenir ouverte. Malgré cette recommandation, pendant longtemps encore, le sable, avec l'aide des Nubiens, recouvrira l'entrée du temple.

Champollion, en 1828, doit s'ouvrir un étroit passage pour pénétrer dans le sanctuaire

En 1831, pour la première fois, on peut voir les quatre colosses jusqu'à leur base grâce à l'Anglais Robert Hay ; mais, en mars 1850, lorsque Maxime du Camp, le compagnon de voyage de Gustave Flaubert, prend les premières photographies du temple, la porte est à demi comblée et les colosses en grande partie réensablés. Mariette, à son tour, fait dégager la façade en 1869, mais, cinq ans plus tard, les colosses du Nord sont à nouveau recouverts quand Amelia Edwards visite Abou Simbel. La lutte contre le sable semblait impossible. Il fallut attendre Maspero et 1909 pour que le temple soit définitivement dégagé des sables.

Jean Vercoutter

Histoires de pillages...

Tous ces trésors cachés au plus profond des tombes sont bien tentants. La course au pillage ne date pas de l'arrivée des Européens. Des manuels du parfait voleur circulaient déjà dans l'Égypte musulmane. Les moyens ont changé, mais, aujourd'hui encore, pour certains fellahs égyptiens, la tentation est grande.

Voici un livre qui contient les cachettes et les trésors du territoire égyptien et de ses environs.

Inspiré par Dieu, nous commençons par la cachette du Caire et de ses environs, ainsi que par leurs trésors.

Ceci a été copié dans les livres de nos ancêtres et transmis d'après eux, parce que nous étions sûrs de leur véracité, en ayant la preuve par leurs indications exactes.

La grande pyramide de Gizeh

Dirigez-vous de cette pyramide dans la direction nord-ouest, et vous trouverez une montagne blanche, sous laquelle passe un chemin qui conduit à un enfoncement pratiqué dans un sol mou. Faites des fumigations avec du goudron, du styrax liquide, de la laine d'une brebis noire, il vous apparaîtra une chaussée entourant quatre feddans de sol. Activez votre fumigation et franchissez la chaussée ; ensuite vous creuserez à l'intérieur à une coudée de profondeur et vous trouverez de l'or affiné, en monceaux. Prenez-en ce qu'il vous plaira, mais ne cessez pas la fumigation avant d'avoir fini. C'est une trouvaille magnifique et productive. C'est tout.

L'ouverture de la grande pyramide à Gizeh

Dirigez-vous vers le sphinx et mesurez à partir de sa face, dans la direction sud-est, douze coudées malékites, dont l'une est égale à une coudée et demie par l'avant-bras de l'homme ; vous trouverez des pierres jetées là. Fouillez juste au milieu des deux mastabas, à la profondeur d'une qamah et d'une bastah ; vous découvrirez une trappe. Déblayez bien le sable qui la couvre et soulevez-la, pour avancer vers la porte de la grande pyramide. Passez par le seuil de cette porte, en faisant attention aux puits qui restent fermés à droite et à gauche, car il faut les respecter et marcher directement sans y toucher, autrement vous vous en repentiriez. Vous trouverez, au commencement de cet endroit, une grande pierre que vous enlèverez et qui vous permettra de passer dans un endroit où vous verrez, à droite et à gauche, beaucoup de chambres, et, devant vous une grande halle renfermant le cadavre d'un des premiers rois de l'Égypte. Ce roi a autour de lui d'autres rois et son fils, vêtus de robes brodées d'or et ornées de pierres précieuses. Vous verrez près d'eux des amas d'argent, des rubis, des perles fines, des statues et des idoles en or et en argent. Cherchez, dans la montagne qui s'élève là, un enfoncement riche en bois et renfermant un grotte. Vous verrez dans cette grotte un grand monolithe que vous pourrez déplacer, pour trouver un puits contenant beaucoup d'argent mis en dépôt par les païens. Prenez-en ce que vous voulez. Dieu est le plus savant.

Le Livre des perles enfouies

En février 1817, Belzoni quitte Boulak, au Caire, dans l'intention d'entreprendre à Gournah la fouille des sépultures thébaines creusées à flanc de montagne.

Recherches dans les tombes de Gournah

Il règne dans ces sépultures un air suffocant. Infectée des exhalaisons de milliers de cadavres, une poussière fine s'élève sous les pas du voyageur, pénètre dans les organes de la respiration et irrite ses poumons. En quelques endroits, il n'y a qu'une ouverture étroite, par laquelle on est obligé de ramper en passant à plat ventre. Après avoir passé par des corridors dont certains ont de cent à cent cinquante toises (200 à 300 m) de long, on arrive à des caveaux un peu plus spacieux ; c'est là que les momies sont entassées de tous les côtés par centaines et par milliers. Ces derniers réduits sont repoussants par l'horreur qu'ils inspirent. Les monceaux de cadavres dont on est entouré, la noirceur des parois et de la voûte, la faible lumière que jettent au milieu d'un air épais les torches des

D ans ces excursions souterraines qu'ils aiment tant à décrire, les voyageurs ne retirent souvent que déception ; il arrive que les tombes soient vides ou que les objets qu'elles contiennent soient, à leurs yeux, sans intérêt.

Arabes qui servent de guides dans ces sépulcres, et qui, décharnés, nus et couverts de poussière, ressemblent aux momies qu'ils font voir, l'éloignement où l'on se trouve du monde habité, tout contribue à effrayer l'âme dans ces excursions souterraines. J'en ai fait plusieurs... L'habitude m'a aguerri contre l'horreur de ce spectacle.

Mon principal but, en visitant ces charniers, était de chercher des rouleaux de papyrus ; j'en ai trouvé plusieurs cachés dans le sein des momies, sous leurs bras, ou enveloppant les cuisses et les jambes, et étant enveloppés à leur tour de longues bandes de toile.

G. Belzoni,
Voyage en Égypte et en Nubie

En 1945, l'architecte égyptien Hassan Fathy est chargé de construire un important village, Gournah, près de Louqsor. Il s'agit de reloger environ 7 000 personnes qui vivaient sur le site de l'antique Thèbes, et dont il était impossible de contrôler les allées et venues autour des fouilles. Le nouveau village fut magnifiquement réalisé, en brique de boue, un matériau millénaire. Malgré cela, il fut très difficile de persuader les habitants de s'y installer, et l'ancien village continue à vivre.

En Égypte, on s'en doute, le département des Antiquités est parmi les services officiels les plus importants, et il avait été mêlé à un grand scandale auparavant.

Parmi les monuments anciens dont il est responsable, figure le vieux cimetière de Thèbes, situé à un endroit appelé Gournah, sur la rive opposée à Louqsor, elle-même bâtie sur l'emplacement de la vieille ville de Thèbes. Ce cimetière se compose de trois parties : la vallée des Rois au nord, la vallée des Reines au sud, et les tombeaux des nobles au milieu du versant de la colline tourné vers les terres cultivées.

Le village de Gournah est construit sur le site de ces tombeaux des nobles. Il y a là beaucoup de tombes, certaines sont connues et dégagées et d'autres toujours inconnues du Département, et par conséquent pleines d'objets de haut intérêt archéologique.

Il y a 7 000 paysans habitant à Gournah, entassés dans cinq pâtés de maisons construites au-dessus et autour de ces tombes, 7 000 personnes qui vivent littéralement sur le passé. Eux — ou leurs pères — ont été attirés à Gourna il y a quelque cinquante ans par les riches tombes de leurs ancêtres. Leur économie reposait presque entièrement sur le pillage des tombes ; les terres tout autour du site ne pouvaient pas nourrir 7 000 personnes et de toute façon elles appartenaient en majeure partie à quelques riches propriétaires.

Bien que les Gournis soient devenus des experts inégalés pour le repérage de tombeaux et qu'ils aient été d'habiles voleurs, ils n'avaient pas su gérer leur industrie très sagement. Ils avaient creusé de manière inconsidérée, extrayant de riches trésors bien avant que les antiquités n'aient atteint un prix vraiment élevé. Hakim Abu Seif, un inspecteur des Antiquités, m'a raconté qu'en 1913 un paysan lui avait offert un panier plein de scarabées pour 20 piastres et il avait refusé. Aujourd'hui un scarabée coûte souvent 5 livres.

Ce n'est pas que leur pillage se soit limité aux seuls scarabées ou que tous les paysans aient été si primitifs. A l'époque de la découverte du tombeau d'Aménophis II — tombeau intact de la XVIIIe dynastie —, un bateau sacré fut volé par un des gardes qui s'est ensuite

Deir-el-Bahari avant la fouille.

établi sur 40 arpents de terre grâce au produit de son vol.

Il ne faut cependant pas considérer les agissements de ces voleurs trop à la légère. Car malgré toute leur adresse, toute leur dextérité et leur réelle pauvreté, les dommages qu'ils font sont incommensurables. Ils creusent et ils vendent, et personne ne connaît l'origine de leurs découvertes, ce qui est une perte immense pour l'égyptologie. Ils font même pire : si par hasard un de ces voleurs trouve un trésor en or, il le fait fondre. Les bijoux, les plaques, les statuettes – chefs-d'œuvre d'artisanat sans prix –, tout va droit dans les cuves et est transformé en vulgaires lingots qui seront vendus au prix courant de l'or. D'après les œuvres qui ont survécu – les trésors du tombeau de Toutânkhamon, les merveilleux plats ouvragés trouvés récemment à Tanis – nous pouvons nous faire une idée de l'horrible destruction qui a eu lieu.

Bien entendu les paysans étaient devenus la proie naturelle des revendeurs des villes, qui seuls avaient la possibilité de communiquer avec des acheteurs étrangers sans scrupule, et étaient en mesure d'exploiter la position délicate des Gournis en achetant leur production inestimable bien en deçà de sa valeur réelle. Les paysans prenaient tous les risques, développant leur habileté et faisant le gros travail ; les revendeurs, en parfaite sécurité, encourageaient le vandalisme et s'enrichissaient des pillages difficilement acquis des Gournis.

A la fin, la baisse des revenus du pillage des tombeaux força les habitants à prendre de plus en plus de risques et à faire des excavations de plus en plus audacieuses (avec une habileté que leur activité avait incidemment développée en eux), jusqu'à ce qu'il y ait enfin un scandale sans précédent. Tout un pan de rocher sculpté – monument ancien classé et très connu – fut découpé à même la montagne et volé. C'est comme si quelqu'un avait volé une fenêtre de Chartres ou une ou deux colonnes du Parthénon.

Ce vol provoqua tant de remous que le département des Antiquités dut prendre des mesures concrètes pour Gourna. Il y avait déjà un décret royal émis auparavant, expropriant les Gournis des terrains sur lesquels leurs maisons étaient construites et annexant tout le secteur de la nécropole, classé terrain d'utilité publique. Ce décret donnait le droit aux Gournis de continuer à utiliser les maisons existantes mais interdisait toute extension ou construction supplémentaire. Or maintenant il fallait un deuxième décret ministériel les expropriant de leurs maisons pour pouvoir dégager toute la zone des antiquités de ses squatters indésirables.

Hassan Fathy,
Construire avec le peuple, Éditions Sindbad

L'Égyptologie aujourd'hui

Des grandes aventures individuelles au travail scientifique d'équipe, il s'est passé moins de cent ans. La vie d'un archéologue se passe bien sûr, sur le terrain, mais aussi dans un bureau ou un laboratoire. Rarement seul, il confronte ses propres recherches avec celles de spécialistes d'autres domaines, de techniciens. Et une fois, peut-être, dans sa vie, il vivra l'intense émotion de la découverte d'un nouveau site !

L'époque est révolue où des amateurs éclairés − et fortunés − comme Davis et Carnarvon pouvaient librement entreprendre des fouilles. Seuls des organismes gouvernementaux ont la possibilité d'obtenir des concessions de fouilles et de supporter les frais qu'impose un chantier important. Ce sont généralement des instituts égyptologiques permanents, installés soit en Égypte, soit à l'étranger, qui organisent chantiers et recherches scientifiques. Aujourdhui, vingt-six pays possèdent au moins un, parfois plusieurs centres de recherche spécialisés en égyptologie, rattachés à des universités ou à des musées. L'Égypte elle-même participe activement à ces travaux. Les inspecteurs de l'Organisme des antiquités de l'Égypte, successeur du Service des antiquités de Mariette et Maspero, aident les missions étrangères sur le terrain. Les inspecteurs généraux de Haute, de Moyenne et de Basse Égypte surveillent les sites et les monuments de leurs circonscriptions et, si besoin est, engagent des fouilles de sauvetage. Par ailleurs, les grandes universités du Caire, d'Assiout, d'Alexandrie, notamment, ont leurs propres chantiers. Enfin, l'Égypte possède deux importants centres de documentation égyptologique, l'un au Caire, l'autre franco-égyptien à Karnak.

L'intérêt pour l'égyptologie s'est donc largement développé depuis le XIXᵉ siècle, temps où tous les égyptologues se connaissaient et échangeaient lettres et renseignements. Au cours des dernières années, une Association internationale des égyptologues a été créée, qui comptait récemment environ neuf cents membres ! Bon an, mal an, près d'un millier de livres et articles d'égyptologie sont publiés. Il est donc de plus en plus difficile de tout connaître et, en conséquence, l'égyptologie, comme nombre d'autres sciences, a tendance à se compartimenter : philologie, épigraphie, histoire, histoire de la religion d'une part, archéologie et histoire de l'art d'autre part.

De plus, les égyptologues, travaillant avec les préhistoriens se sont peu à peu initiés aux méthodes, rigoureuses de la nouvelle archéologie. Ils ne se contentent plus désormais de rechercher le document écrit ou le bel objet, comme ce fut trop souvent le cas autrefois. Ils savent que l'examen attentif et l'analyse des couches de terrain qu'ils fouillent peuvent apprendre autant de choses, sinon plus, que le plus long texte gravé sur une stèle ou sur la paroi d'un monument. Depuis une quinzaine d'années, grâce aux méthodes scientifiques modernes et aux travaux de laboratoire, l'égyptologie a donc vu s'étendre largement le champ de ses recherches.

Ces perspectives nouvelles ne veulent pas dire, au contraire, que des découvertes comme celles du Serapeum, de Toutânkhamon ou des tombes royales de Tanis soient maintenant inconcevables. L'homme a occupé la vallée du Nil et les oasis proches, parcouru les déserts voisins pendant tant de millénaires que ses traces sont partout présentes, mais loin d'être toutes relevées. Enfin, n'oublions pas que les diverses capitales qui ont tour à tour dominé l'Égypte n'ont jamais été entièrement explorées... Enfin, de nombreuses tombes de pharaons nous sont encore inconnues : même celle d'Alexandre le Grand reste à découvrir !

Jean Vercoutter

La tombe de Maya redécouverte

La tombe perdue de Maya, le trésorier de Toutânkhamon, vient d'être retrouvée. Depuis le siècle dernier, elle était connue des archéologues. En 1843, l'Allemand Richard Lepsius en avait étudié la chapelle mais sans pénétrer dans les chambres funéraires souterraines. Il en avait toutefois relevé la position et reproduit hiéroglyphes et bas-reliefs. Par la suite, la tombe avait disparu, engloutie par les sables.

Mais le 8 février 1986, dans la nécropole de Saqqarah, Geoffrey T. Martin, du University College de Londres, et Jacobus Van Dijk, du musée de Leyde, descendent au fond d'un puits. Là, ils trouvent une antichambre funéraire ornée d'inscriptions et de bas-reliefs. C'est la tombe de Maya et de sa femme Merit.

C'est très probablement grâce aux données fournies par Lepsius que les deux archéologues, auxquels on doit déjà la découverte, en 1975, du tombeau d'Horemheb, ont pu retrouver celui du fameux trésorier. Cela n'enlève rien à l'intérêt de leur trouvaille. La tombe, cette fois-ci, sera complètement déblayée, fouillée et minutieusement étudiée. Elle fournira alors sûrement des renseignements susceptibles d'éclairer les soubresauts de la fin de la XVIIIᵉ dynastie que l'on connaît encore mal. Maya, en effet, a non seulement été scribe royal et trésorier de Toutânkhamon, mais c'est peut-être aussi à lui qu'échurent la tâche et l'honneur d'enterrer le célèbre fils de Rê. Il a de plus conservé des fonctions sous le règne d'Ay (1343) et au début du règne d'Horemheb (1340-1314), tous deux successeurs du jeune pharaon.

Science et Avenir, Avril 1986

La journée d'un archéologue

Le 6 décembre 1976, Jean Vercoutter, l'auteur de ce livre, est à Saï. A 5 h 30, il se lève. A 21 h, il se couche. Qu'a-t-il fait de sa journée ? Il le raconte lui-même, dans cet extrait de son journal de fouilles, une sorte d'agenda sur lequel tous les archéologues rendent compte du travail quotidien, pratiquement heure après heure. Mémorialistes, ils sont aussi photographes, puisque chaque étape du déblaiement d'un site doit être conservée en photo ou en plan.

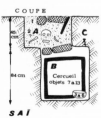

Toute fouille donne lieu à des plans d'ensemble, à des coupes, à des photos. Les objets trouvés, comme les crânes de ces tombes, sont mis à l'abri et répertoriés.

Saï est une île du Nil, au Soudan, à 200 km au sud de la troisième cataracte, près de la petite ville d'Abri.

Lundi. Température 6 h : 13° ; 19 h : 25°. Temps calme et chaud, un peu plus aéré qu'hier. Lever : 5 h 30, il fait encore nuit. Thé, biscuit, départ sur le chantier des fouilles. A 6 h, appel des ouvriers. Travail dans un petit cimetière méroïtique du IIe siècle après J.-C. Relevé topographique pour le placer sur le plan d'ensemble : travail au théodolite et au niveau, avec l'aide du topographe de la mission. Arrêt de la fouille à 9 h pour le *foutour* (petit déjeuner), le meilleur moment de la journée : *kisra* (galette soudanaise de farine de dourah), fromage blanc local, confiture, thé ou café.

A 9 h 30, reprise du travail. Nettoyage de la tombe n° 2, qui a été repérée la veille. Un squelette apparaît très près de la surface ; à la tête trois briques déplacées, ne subsistent que les os du torse et la tête. Au même niveau que les ossements reste d'une boîte ronde, cassée, en partie peinte en rouge. En nettoyant les ossements on voit apparaître des briques de grandes dimensions, disposées les unes en travers de la fosse, les autres parallèlement. Dans le trou entre deux briques on peut apercevoir un cercueil rectangulaire en bois complètement mangé aux termites. La fosse comporte une niche creusée dans le sol, un limon pulvérulent, le long de la paroi sud, mais la partie supérieure menace de s'effondrer et, avant de fouiller, il faut enlever le haut de la niche. Les déblais enlevés, on fouille en partant de l'ouest vers l'est. Le haut du corps, tête et épaules, a été déplacé et détruit par les pillards — les restes trouvés en début de fouilles proviennent peut-être du cercueil. Dans le *radeem* (déblais),

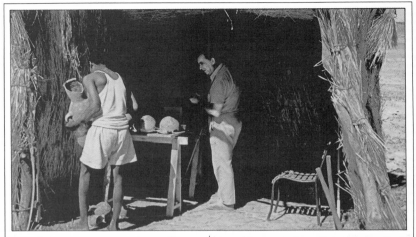

timbale méroïtique rouge à pâte fine, brisée. Dans l'angle sud-ouest, cinq objets ont échappé aux pillards : un très beau vase sphérique à anses en verre à décor gravé, une coupe à parois verticales non décorée, également en verre, un petit vase tripode en bronze, un grand étui en bois pour le kôhl avec, à côté, sa spatule-pilon en fer ouvragé.

En poursuivant le nettoyage, on trouve entremêlés sur le reste du sternum trois longs colliers en partie encore enfilés. Le premier de perles côtelées jaunes, en verre doré, avec double entrelacs de perles plus petites ; le second de grosses perles «en gouttes» d'albâtre séparées entre elles par des perles rondes de couleur ; le troisième moins long, fermé d'élément ronds, très abîmés, séparés entre eux par des perles rondes. Au bras droit, deux bracelets, dont l'un avec tête de bélier en pâte émaillée, l'autre de perles rondes de couleur. Au bras gauche, bracelet de perles de couleur. Aux doigts des pieds gauche et droit, deux anneaux. Sur le fond du sarcophage, petit objet en pâte émaillée d'un bleu intense, sans doute un «bouton» de nez ou d'oreille. Au tamisage, trouvaille d'éléments de bracelets en schiste, de perles ainsi que d'éléments en os, en forme de goutte, provenant sans doute d'un décor de marqueterie.

Fin du travail à 13 h, retour à la maison de fouilles, déjeuner – viande (toujours du mouton), riz ou pâtes, eau du Nil filtrée, fruit, café.

De 14 h à 17 h, mise au net du journal des fouilles, rédaction des fiches – une par objet, avec description, dimensions, niveau, dessins coté, etc. A 17 h, thé, repos, contemplation du coucher du soleil et du lever de la lune derrière la montagne et sur le Nil. On ne s'en lasse jamais. A 18 h environ, allumage des lampes à pétrole car, bien entendu, il n'y a pas d'électricité à Saï. Travail sur les fiches. A 19 h, dîner – même menu qu'à midi –, conversation et échange de vues entre membres de l'équipe, préparation du travail pour le lendemain. A 21 h, coucher.

Jean Vercoutter

La nouvelle vie de Ramsès II

En 1976, une équipe de 102 scientifiques a soigné la momie malade du célèbre pharaon et lui a rendu une nouvelle immortalité. Ramsès II repose au musée du Caire, la capitale du pays qui l'a vu naître. Pour une éternité dont il est déjà le détenteur incontesté.

Après 30 siècles d'un voyage dans le temps et dans l'espace, il a retrouvé sa demeure : le musée du Caire.

Juste retour aux sources. Sur son visage au profil de médaille, adouci par la ligne ondulée de quelques mèches fragiles de cheveux blonds, qui furent autrefois teints au henné, toute la sagesse du monde. Ses mains, emprisonnées dans des lins antiques qu'aucune épingle, aucune couture ne maintient, sont longues et fines. Ses ongles, eux aussi, ont gardé la couleur ambrée du henné, symbole de vie. Ramsès était un Méditerranéen. Au-delà de la mort, il en a gardé toutes les caractéristiques anthropologiques. Sa peau est transparente et dorée. On le croit endormi, plongé dans un sommeil paisible. Comment imaginer en effet, en le regardant, que le souffle de la vie a quitté ce corps frêle et élancé il y a déjà si longtemps. Les traits sont trop présents, la matière trop intacte pour ne pas hésiter entre l'émerveillement et l'inquiétude.

En 1976, le spectacle était pourtant tout autre... La momie de Ramsès II, le plus illustre pharaon qu'ait connu la terre d'Égypte, souffrait. Après avoir résisté, siècle après siècle aux outrages du temps, elle présentait tous les symptômes d'une maladie sournoise, rongeuse et inquiétante. D'où venait ce mal invisible et irrespectueux ? Comment le vaincre à tout jamais et redonner au divin Ramsès son immortalité souveraine ?

Pendant sept mois, à l'initiative de Christiane Desroches-Noblecourt, aujourd'hui Inspecteur honoraire des Musées de France, et grâce à l'appui des plus hautes autorités égyptiennes et françaises, une équipe de cent deux scientifiques, dirigée par le doyen Lionel Balout, administrateur du musée

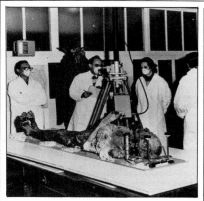

D ans un laboratoire du musée de l'Homme, des ingénieurs de l'Institut géographique national procèdent à des relevés photogrammétriques.

de l'Homme à Paris et sa collaboratrice, le professeur Colette Roubet, sous-directrice au Museum, va se pencher sur son cas.

La troisième naissance de Ramsès II...

Septembre 1976. La momie de Ramsès II est à Paris. Les scientifiques qui se penchent sur lui restent muets, paralysés par l'émotion. Derrière leur masque de chirurgien, ils retiennent leur souffle; le patient est trop célèbre, trop prestigieux... Une vague d'inquiétude, née de l'ampleur de la tâche à accomplir, les submerge. Allongé dans un simple cercueil de chêne, Ramsès, privé de toutes les parures qui ont symbolisé sa gloire, n'est plus qu'un vieillard malade.

Selon les égyptologues, la première naissance du grand souverain a eu lieu très vraisemblablement vers 1300 avant Jésus-Christ, au Palais thébain de Séti 1er, son père et son prédécesseur. Il est mort environ 90 ans plus tard, vers

1230. Son corps fut alors embaumé selon les rites sacrés, destinés uniquement aux pharaons. Sa momie, habillée de bandelettes et ornée de joyaux, fut déposée dans la nécropole de la vallée des Rois. Deux siècles plus tard, des pillards violèrent sa sépulture, emportant tous les trésors dont il était paré, y compris la plaque d'or placée par les embaumeurs au niveau de la cavité abdominale. Pinedjem, prêtre d'Amon, maître de la région thébaine sous la XXIe dynastie fit restaurer la momie, ordonna que l'on place autour de son cou des colliers de fleurs de lotus et de nymphéas... Ramsès II renouait ainsi, pour la deuxième fois, avec la vie éternelle.

Caché en l'an 1000 av. J.-C. dans la falaise de Deir-el-Bahari avec d'autres momies royales, Ramsès y demeura jusqu'en 1881, date de sa découverte par un paysan local et de son identification par l'égyptologue français, Gaston Maspéro. Le pharaon avait perdu tous les insignes de sa royauté mais sur sa poitrine était encore attaché un petit rouleau de papyrus.

Dès 1912, l'égyptologue anglais Eliott Smith, remarqua, grâce à la radiologie, que le corps de Ramsès II se dégradait... 65 ans plus tard, les dégâts s'étaient étendus, et l'intervention présentait, plus que jamais, un caractère d'urgence.

Ramsès II, victime d'un champignon.

Dès son arrivée à Paris, Ramsès II sera l'objet de toutes les attentions des scientifiques chargés de son sauvetage. Première opération : déterminer les causes exactes de sa maladie. On recueille parmi les débris des bandelettes, quelques échantillons d'infimes fragments du coffre et des

 e docteur Jean Mouchacca présente le résultat de la mise en culture des champignons prélevés sur la momie. Cette prolifération des espèces a conduit à rechercher un traitement exemplaire détruisant ces colonies.

cheveux tombés, qui seront immédiatement analysés dans les laboratoires spécialisés du museum d'Histoire naturelle, de l'Identité judiciaire, de l'Institut textile de France, de L'Oréal, du CNRS et du Commissariat à l'énergie atomique. Bactéries ? Champignons ? Insectes ? Tous les savants sortent leurs microscopes les plus perfectionnés... C'est le docteur Jean Mouchacca, spécialiste de cryptogamie au Museum qui parvient à identifier l'agent destructeur. Il s'agit d'un champignon au nom impossible : le *Daedalea biennis Fries*. La première étape est gagnée...

Toute l'équipe est enthousiaste, d'autant plus qu'elle commence à se sentir très proche de ce vieux Pharaon dont, peu à peu, elle perce les secrets. Parallèlement à ces recherches, d'autres examens complétant ceux déjà pratiqués au Caire ont en effet permis de mieux connaître Ramsès II et de découvrir les causes de sa mort. Ces examens sont la radiologie, la xéroradiologie, la chromodensitographie, l'endoscopie, la bactériologie, la palynologie, la paléobotanique, les tests sur échantillons et sur momie, la muséologie et l'irradiation gamma au cobalt 60.

L'étude approfondie de son squelette, des parois de ses artères fémorales, de ses dents, de tout son être momifié a été très révélatrice : Ramsès était atteint d'une légère claudication ; il avait la colonne vertébrale raidie et sa tête penchait en avant. Celle-ci a été redressée par les embaumeurs au moment de l'ensevelissement, ce qui explique les fractures visibles au niveau du cou et de la nuque. Le pharaon souffrait de nombreux abcès dentaires et tout porte à croire qu'il est mort des suites d'une infection généralisée.

Mettre au jour les causes de la maladie de Ramsès est une chose, le sauver en est une autre. Lionel Balout et Colette Roubet le savent. Il est temps d'agir et d'enrayer le mal avec tous les moyens que la technologie moderne met à leur disposition. Très vite la chimiothérapie est écartée – tout comme l'est l'utilisation de la chaleur ou du froid. Pourquoi ? Parce qu'on ignore comment les résines et les gommes qui ont servi à l'embaumement réagiront à ces traitements. Les inconnues sont trop nombreuses. Il ne reste qu'une solution : irradier Ramsès II. Une décision difficile à prendre seul. Le moindre problème avec le pharaon provoquerait sans nul doute un incident diplomatique avec les Égyptiens.

Depuis le début de l'opération, la momie est d'ailleurs l'objet de mille prévenances et d'un soin constant de la part du représentant officiel de l'Égypte, le docteur Sawki Nakhla. On a sectionné la base du cercueil de chêne dans lequel le souverain a voyagé, pour faire glisser le corps sur une feuille d'altuglas et l'installer sur un chariot

chirurgical. Son crâne, son torse ont été calés à l'aide de petits coussins afin d'éviter toute tension mécanique du squelette. On ne le sort de son abri que lorsque les travaux scientifiques l'exigent et jamais plus de trois heures de suite...

Le mot d'ordre est donc à la plus grande prudence. Il faut pourtant intervenir. Le diagnostic du spécialiste Jean Mouchacca est formel : si l'on ne parvient pas à débarrasser Ramsès II du champignon qui le dévore, sa momie aura «succombé» à ce mal avant la fin du siècle. Le doyen Balout est seul à pouvoir décider de la thérapeutique à appliquer. Son verdict tombe : Ramsès II sera irradié.

C'est au Centre d'études nucléaires de Grenoble et dans les laboratoires que dirige Robert Cornuet qu'une longue série d'échantillons provenant de Ramsès (champignons, cheveux, fragments de bandelettes) et d'une autre momie (tissus humains divers) vont être testés et traités par le rayonnement gamma produit par le cobalt 60. Les résultats sont très positifs. Ils n'ont aucune incidence sur les tissus humains, y compris sur les

cheveux. Une chance... Il est impensable de rendre un Ramsès chauve aux Égyptiens. En revanche, l'action des rayons est suffisamment efficace pour détruire les champignons. Après cette première expérience, on envisage enfin de soumettre à ce même «régime» une «momie martyre». L'intervention pratiquée par les ingénieurs du CEA a lieu au Centre nucléaire de Saclay, près de Paris. Cette fois encore le succès est total. L'heure de la guérison a sonné pour Ramsès II.

Restauré au préalable, avec le plus grand soin, par les spécialistes du musée de l'Homme, drapé dans un lin antique, offert par le musée du Louvre, et replacé dans son sarcophage de cèdre, Ramsès II vient de renaître une troisième fois. Il a retrouvé tout son rayonnement. Les médecins qui l'ont soigné n'ont joué que le rôle tenu autrefois par les prêtres. Respectant la tradition religieuse antique, ils ont rendu à l'âme de Ramsès la demeure qu'elle exigeait : un corps parfait. La frêle silhouette du souverain domine le fleuve de la vie. Il vient de signer un nouveau contrat avec l'éternité.

Les mystères des pyramides

Après les archéologues, les auteurs de bande dessinée s'emparent du mystère de la Grande Pyramide. Goscinny et Uderzo, Edgar-P. Jacobs et Hergé en donnent leur version...

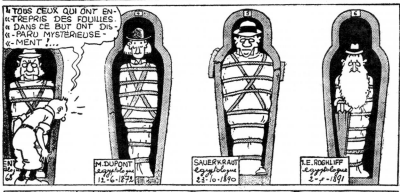

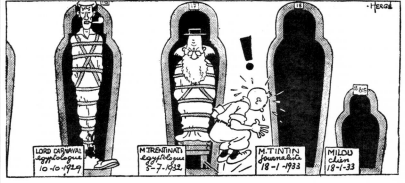

Abandonnant le misérable fouyous renversé sur le sarcophage, Abdel Razek se tourne vers la grande statue d'Akhnaton et lui adresse une solennelle invocation...

O Aton, source de vie! Etincelant, tu te lèves sur le pays d'Egypte. Combien diverses sont tes oeuvres et impénétrables tes desseins! O toi, Soleil du jour, Grand de puissance! Le monde est dans ta main. Lorsque tu te lèves, il vit. Lorsque tu te couches, il meurt, et nul autre ne te connaît que ton fils Akhnaton, le Maître des Deux Pays, Nefer-Khepru-Ra, Wan-Ré, Fils de Ra, qui vit de Vérité, Seigneur des diadèmes, Dont la durée est grande, Vivant et prospérant pour toujours à jamais!...

...et peu à peu, le Soleil d'Or, placé derrière la tête du Pharaon, se met à briller, gagnant à chaque instant en éclat jusqu'à remplir la crypte entière d'une lumière éblouissante...

By Jove! Francis, pincez-moi donc, que je m'éveille!...

C'est inouï!...

Mais voici que Abdel-Razek, se retournant vers les deux hommes, leur dit:

Venez!

Venir!?... Mais... c'est impossible!... Les crocodiles!... et puis, la passerelle!...

Quels crocodiles?... Quelle passerelle?...

A ces mots, Blake et Mortimer se penchent instinctivement sur l'eau...

Quoi! Plus rien!?!!...

Ils ont disparu!!...

Non seulement les sauriens ont disparu et l'eau a repris son niveau normal, mais la passerelle, brisée dans les blocs tombés, est de nouveau là, intacte!...

There!... la passerelle!

Hein?... Remise en place!?!...

Que ton nom ne soit plus!...

Et tandis que, comme dans un rêve, nos deux amis traversent le fossé et s'avancent vers le cheik, celui-ci, étendant les mains sur Olrik, dit:

A l'instant même le gredin, quittant son étrange immobilité, s'écroule, brisé, comme un pantin disloqué, au pied du sarcophage...

Et maintenant, prêtez l'oreille: je vais vous expliquer les mystères de cette nuit...

Sur la piste de Chéops

La Grande Pyramide serait-elle encore à découvrir ? Deux architectes français l'affirment. Pour étayer leurs hypothèses, une campagne de fouilles s'est déroulée en août 1986.

Le piège de Chéops aurait-il fonctionné ? Pour tromper les intrus, un architecte ingénieux aurait fait une habile mise en scène destinée à protéger les secrets du tombeau royal. Une autre entrée, d'autres circulations, d'autres cavités et peut-être même une autre chambre du roi pourraient exister dans la Grande Pyramide.

C'est l'hypothèse que soutiennent très sérieusement MM. Gilles Dormion et Jean-Patrice Goidin, respectivement collaborateur d'architecte et architecte à Lille. Leur théorie séduisante a convaincu le Quai d'Orsay et les autorités égyptiennes. Et, avec l'aide d'EDF et de la Compagnie de prospection géophysique française, ils ont entamé le 28 août une campagne de fouilles dans la Grande Pyramide.

Tout a commencé par hasard. Liés de longue date, les deux amis sont passionnés de plongée sous-marine. Une équipée en mer Rouge les amène à s'intéresser à l'Égypte. A leur retour, un ami commun leur offre la bande dessinée d'Edgar P. Jacobs, *le Mystère de la Grande Pyramide.*

A sa lecture, M. Gilles Dormion est intrigué par des détails minutieusement reproduits. En particulier, il s'interroge sur la présence de curieuses mortaises de chaque côté des murs de la grande galerie. A quoi pouvaient servir ces cavités qui courent le long des parois ?

De même, il s'étonne de voir une engravure à mi-hauteur marquée de nombreux éclats de pierre. Les deux architectes cherchent les explications dans des livres spécialisés, sans trouver de réponses satisfaisantes.

Par curiosité, ils poursuivent leur examen, et bientôt se piquent au jeu. De photos en documents, ils amassent

Première étape : les chercheurs devant l'entrée de la Grande Pyramide

Jean-Pierre Baron manie la perceuse dans le couloir de la Chambre de la Reine.

des mesures, des relevés, comparent avec d'autres pyramides. Et constatent d'autres anomalies.

Pour les deux architectes, ces étrangetés ne peuvent être des erreurs de construction. Les Égyptiens connaissaient trop bien les règles de l'art pour tolérer des détails gratuits ou imparfaits. Selon eux, tout a été conçu à l'avance.

Mus par cette conviction, MM. Dormion et Goidin vont essayer pendant des mois de retrouver cette logique de bâtisseur. Avec de nombreux tâtonnements et en solitaires : la tentative de rencontre avec un égyptologue a abouti à une fin de non-recevoir.

Ils auraient travaillé encore de longs mois si, en décembre 1985, une équipe américaine n'avait entrepris des recherches dans la pyramide de Chéops pour retrouver une barque solaire. Par peur de se faire voler leurs découvertes, ils décident de tout dévoiler à M. Philippe Guillemin, sous-directeur des affaires sociales et humaines au Quai d'Orsay.

Séduit par leur théorie, celui-ci s'entoure tout de même de conseils. Il soumet le dossier à M. Yves Boiret, architecte en chef des bâtiments de France, et à M. Bernard Maury, spécialiste d'architecture islamique. Le premier se déclare vivement intéressé, le second demande même à participer à la première mission d'étude. L'intérêt est aussi vif auprès des autorités égyptiennes.

Car les deux architectes ont posé un regard neuf sur l'égyptologie, et leurs hypothèses reposent sur un raisonnement logique qui tend à expliquer l'ensemble du système constructif de la Grande Pyramide.

Dès l'entrée, les anomalies percent. Le tombeau n'est accessible que par une toute petite excavation, semblable aux ouvertures d'autres pyramides. Mais pourquoi avoir coiffé cet ensemble d'énormes linteaux protégés eux-mêmes par deux gigantesques chevrons ?

Les deux amis pensent, en fait, que cet immense appareillage pourrait masquer une autre entrée, fermée depuis la mort du pharaon.

Dans une partie du couloir ascendant, ils relèvent aussi la présence de curieux blocs-ceintures le long des murs, dont on ne retrouve aucun équivalent dans le reste de la pyramide.

Pour les archéologues, ce système aurait été mis en place pour résister aux

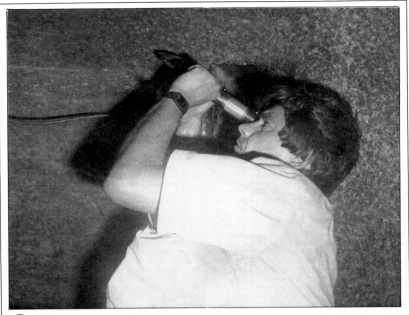

On procède à des essais d'endoscope dans la Chambre du Roi.

pressions latérales exercées sur les parois. Les deux architectes, eux, ont une autre idée sur le rôle joué par ces blocs-ceintures. Mais ils ne souhaitent pas encore la révéler.

En continuant l'ascension, vient la grande galerie avec ses mortaises et son engravure qui ont attiré, en premier, l'attention des deux architectes. Pour expliquer leur rôle, M. Gilles Dormion griffonne devant moi quelques croquis rapides. «Les mortaises pourraient avoir servi à dresser un échafaudage pour atteindre le plafond. Au-delà, il existerait des cavités. Avant la fermeture définitive du tombeau, la grande galerie aurait été le théâtre d'une manipulation importante.»

La chambre des herses recèle aussi de surprenants détails de construction. Située au bout de la grande galerie, elle était destinée à empêcher l'accès de la chambre du roi par trois herses de granit.

Mais il suffit de grimper sur une première pierre placée en avant pour passer au-dessus des herses, puis de casser un coin de bloc de granit bloquant théoriquement la chambre du roi pour arriver au sarcophage. C'est la méthode qu'a employée, en tout cas, le calife Al Mamoun, en 820, pour piller la chambre du roi. Étrange serrure pour le tombeau du pharaon !

Par la suite, les rois égyptiens préféreront comme Toutânkhamon, cacher leur tombeau pour se protéger des pilleurs. Chéops lui, avait choisi de construire une pyramide exposée à tous les regards. Un système de protection fiable s'avérait alors d'autant plus nécessaire.

Pour quelles raisons alors l'architecte a-t-il conçu un mécanisme aussi peu sûr ? Pourquoi encore a-t-il mis en place dans la chambre des herses un double linteau coulissant ?

Par ses dimensions impressionnantes, la chambre du roi, capitonnée par d'énormes blocs de granit, est conforme pourtant à un tombeau royal. Au-dessus du plafond, la succession de quatre chambres formées par de gigantesques linteaux est plus surprenante. Cet amas de 2500 tonnes de pierres servirait, d'après les égyptologues, à repousser les forces sur les côtés. D'où le nom de chambre de décharge. Seulement, ces pièces sont construites de telle façon qu'elles ne déchargent rien.

La voûte qui les surplombe, en revanche, permet bien de répartir les pressions vers d'autres points latéraux. «L'empilement de pierres, remarque M. Dormion, serait un moyen de surélever la voûte. Par ce système, un espace de chaque côté est libéré de tout poids. C'est là que pourrait être dissimulée la chambre du roi.»

Leurs recherches se sont poursuivies dans d'autres parties de la pyramide. La maçonnerie du couloir de la reine, par exemple, leur a semblé singulièrement assemblée : ils pourraient cacher des magasins, selon leur hypothèse.

Une première campagne de fouilles a été entreprise en mai dernier. Sur ce terrain difficile, le choix du matériel de recherches était limité. EDF, en association avec la Compagnie de prospection géophysique française, a opté pour des études par gravimétrie.

Cette technique permet de mesurer, toutes les variations de densité de la matière.

Les premiers résultats ? Encourageants. Dans le couloir de la reine, les appareils ont noté des irrégularités gravimétriques. A l'endroit prévu par les architectes. Ces «absences de substances» pourraient être dues à des cavités : les magasins supposés par MM. Dormion et Goidin.

Les relevés effectués dans les chambres de décharge sont moins probants. M. Dormion le reconnaît : «Nous avons bien enregistré des anomalies mais elles sont difficiles à interpréter. De plus, des mesures nous manquent dans la chambre du roi et dans certaines chambres de décharge.»

Ces premiers tests, en tout cas, ont été jugés suffisamment concluants par la direction des Antiquités égyptiennes du Caire, qui a donné une autorisation de fouilles. Les chercheurs vont s'attacher, en premier lieu, à vérifier l'existence des «magasins» grâce à une technique sophistiquée : le micro-sondage. Il s'agit de faire de minuscules forages dans les parois avant d'introduire un endoscope, qui renvoie des images captées derrière les murs.

En cas de succès, les chercheurs pourraient procéder à d'autres forages dans la pyramide afin d'étayer les hypothèses des deux architectes. Qu'elle soit ou non confirmée, leur théorie aidera les recherches en égyptologie à progresser.

Grâce aux techniques utilisées, les archéologues pourront, pour la première fois, découvrir des systèmes constructifs utilisés par les Égyptiens. En ne touchant presque à rien.

Martine Orange,
Valeurs actuelles

Février 1987: l'aventure se poursuit. Une équipe japonaise détecte de nouvelles cavités dans la Grande Pyramide.

Une équipe japonaise, conduite par Sakuji Yoshimura, professeur à l'Université Wascola de Tokyo, vient de déceler l'existence de nouvelles cavités dans le couloir conduisant à la chambre de la reine et autour de la Grande Pyramide. (...)

Un procédé de détection par microgravimétrie, enregistrant les différences de densité dans les parois de la Grande Pyramide, avait été utilisé en différents endroits. De fortes anormalités dans les courbes densitomètres avaient alors conduit l'équipe française à effectuer trois petits trous sur la face ouest du couloir de la reine. Un sable cristallin et énigmatique s'y entassait. (...)

La technique nippone est analogue à celle du scanner: des ondes électromagnétiques ont été envoyées à travers le mur ouest du couloir de la reine, puis on en a analysé l'écho, réceptionné par une antenne quelque peu encombrante, à l'aide d'un micro-ordinateur. La présence de vide près de la chambre elle-même s'est traduite par des taches bleues sur un écran quadrillé de lignes verticales et horizontales. Quelques petits points rouges à l'intérieur des taches intriguent toujours le professeur Yoshimura. «Alors que la microgravimétrie pèse en quelque sorte le vide,» souligne Gilles Dormion, l'un des deux architectes à l'origine de ces recherches de cavités, «les micro-ondes permettent de les visualiser. Nous étions nous aussi à l'étude d'une campagne par micro-ondes ces dernières semaines.»

Plus fine mais moins «balayante», l'émission d'ondes semble complémentaire à la microgravimétrie.

A droite, Sakuji Yoshimura.

C'est du moins ce qu'espère EDF qui souhaite continuer à sonder les changements de densité à Khéops, autour de la Grande Pyramide et du Sphinx – où les Japonais ont également trouvé d'autres cavités «géométriques» remplies de sable et peut-être reliées entre elles – comme sur d'autres sites d'Égypte. Utilisées il y a sept ans pour le métro parisien et le RER, les micro-ondes restent difficiles à utiliser: «Toute la difficulté réside dans l'interprétation», souligne Claude Dutems, du Bureau d'étude de l'entretien à la RATP. «Ne pas confondre les vides et les changements de matériaux». Une difficulté non encore résolue par les Japonais.

Si les dimensions de ce nouveau trou ont été évaluées à 2 m de profondeur sur une hauteur de 4 m, il faudra attendre le 15 avril, lorsque l'équipe de Sakuji Yoshimura aura réalisé une analyse plus fine, pour en savoir plus...

Vincent Tardieu,
Libération, 4 février 1987.

L'Égypte au musée du Louvre

Les objets des salles d'égyptologie du Louvre ont tous une histoire, et certains sont particulièrement liés aux personnages et aux situations décrits dans ce livre.
Jean Vercoutter propose un parcours qui permet de les retrouver.

Statue agenouillée de Nekhthorheb.

Très peu des objets conservés en France sous l'Ancien Régime et provenant d'Égypte ont trouvé asile au Louvre actuel. Parmi ceux-ci, on peut voir cependant dans la Grande Galerie du rez-de-chaussée : une statue agenouillée en grès d'un prince de la XXXᵉ dynastie (378-341 av. J.-C.), un groupe en grès rouge d'un homme et son fils qui date de la XIIᵉ dynastie (vers 2000 av. J.-C.), ainsi que les quatre statues de granit noir de la déesse Sekhmet à tête de lionne.

Lors de la campagne d'Égypte, la Commission des lettres et arts avait recueilli des objets et des monuments qui étaient conservés et exposés au Caire à l'institut d'Égypte. Considérée comme butin de guerre par l'armée anglaise, cette collection fut confisquée par elle lors de la capitulation du général Menou en 1801.
En conséquence, rien n'en parvint au musée Napoléon de Vivant Denon.
La pierre de Rosette, qui en faisait partie, est maintenant exposée à Londres au British museum. Bien que très usé, car il a longtemps servi de seuil de porte à une mosquée du Caire, un fragment de décret trilingue, similaire à celui qui est gravé sur la pierre de Rosette, est exposé dans la Grande Galerie du rez-de-chaussée. Il date de Ptolémée III (247-222 av. J.-C.).

Nommé conservateur des antiquités égyptiennes au musée Charles X en 1826, Champollion joua un rôle primordial dans l'acquisition des collections Salt et Drovetti, puis, à la suite de son voyage et des fouilles dans la vallée du Nil, il fit entrer au musée 102 objets parmi lesquels figurent, exposés au rez-de-chaussée dans la Grande Galerie : le bas-relief polychrome de Séti I et la déesse Hathor, le sarcophage de basalte de

d'énumérer les 4014 pièces qui y sont entrées en 1826 lors de l'achat de la collection Salt. Pour montrer sa richesse, il suffit de mentionner (exposés dans la Grande Galerie) : le sarcophage en granit rose de Ramsès III, le Naos monolithe consacré à Isis dans le temple de Philae, ainsi que le sphinx en granit rose du Moyen Empire, trouvé à Tanis, successivement usurpé par le roi Hyksôs Apopi, par Mineptah et par Sheshonq I de la XXIᵉ dynastie. Dans la crypte du sous-sol, entre les antiquités classiques et les salles égyptiennes, le sphinx de granit, lui aussi provenant de Tanis et représentant un pharaon de l'Ancien

Bas-relief polychrome de Séti Iᵉʳ (ci-dessus). Statuette de la reine Karomama (à droite).

Taho, fils de Petemonth, dont il disait qu'il était «le plus beau des sarcophages présents, passés et futurs». Enfin, au premier étage dans la salle des Bijoux et des Bronzes, la statuette en bronze damasquiné d'or de la reine Karomama, femme de Takelot II (XXIIᵉ dynastie).

De toutes les collections réunies au début du XIXᵉ siècle, ce sont celles des consuls Salt et Drovetti qui ont le plus enrichi le musée. Il serait impossible

Sarcophage en granit rose de Ramsès III.

Empire. Il a été usurpé par Ramsès II et son fils Mineptah. C'est encore de la collection Salt que provient le grand fragment des annales de Thoutmosis III. Gravé sur un mur du temple de Karnak, il a été fixé sur le mur gauche de l'escalier conduisant aux salles égyptiennes du premier étage.

La tête polychrome d'homme, dite tête Salt, en calcaire peint, chef-d'œuvre de l'art égyptien, se trouve dans la salle du Scribe. Au premier étage, enfin, on verra la belle harpe gainée de cuir vert, sans doute d'époque Saïte (VIIᵉ - VIᵉ siècle av. J.-C.).

La première collection Drovetti

ayant échappé à la France, Champollion fit acheter par Charles X la deuxième collection du consul français. Celle-ci a elle aussi considérablement enrichi le musée. Elle comportait, entre autres monuments : le colosse en granit rose de Sebekhotep IV (Grande Galerie du rez-de-chaussée) datant de la XIIIᵉ dynastie (vers 1700 av. J.-C.), ainsi que la célèbre coupe en or donnée au général Thoutii par Thoutmosis III, que l'on peut admirer au premier étage dans la salle des Bijoux.

Au moment même ou peu après l'époque où Drovetti et Salt formaient leurs collections successives, des objets et des monuments ont été enlevés d'Égypte, qui par la suite ont été donnés, légués ou achetés par le Louvre. Parmi les plus importants, il faut mentionner le zodiaque de Denderah que Jean-Baptiste Lelorrain, sur les instructions et aux frais de Sébastien Saulnier, détacha d'un plafond du temple de Denderah en 1820. Il est maintenant exposé dans le passage en sous-sol qui conduit des salles égyptiennes aux salles assyriennes.

Statue en granit rose de Sebekhotep IV. Porteuse d'offrandes (à gauche).

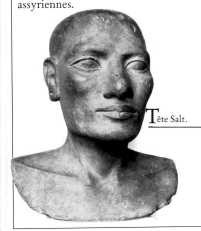

Tête Salt.

Vingt ans après, en 1843, Prisse d'Avennes démontait et emportait en France la chambre des ancêtres du temple de Karnak ; par la même occasion, il enleva la stèle de Bakhtan trouvée par Champollion dans le temple de Khourou, également à Karnak. Ces deux monuments sont aussi au rez-de-chaussée.

A la suite de ses fouilles au Serapeum de Memphis, Mariette expédia au Louvre 44 caisses d'antiquités contenant près de 6 000 objets, plus encore que n'en comportait la collection Salt. Tous ne provenaient pas du Serapeum même : ils ont été trouvés alors que Mariette fouillait l'avenue bordée de sphinx *(dromos)* qui conduisait aux sépultures des taureaux Apis. Parmi ces objets figure le célèbre scribe accroupi en calcaire peint de la Ve dynastie. Il fut découvert dans un *mastaba* proche du *dromos,* avec cinq autres statues exposées elles aussi au rez-de-chaussée dans la salle des scribes et dans celles du *mastaba.*

Un bon nombre des monuments du Serapeum proprement dit ont été groupés au rez-de-chaussée : deux des cent quarante et un sphinx qui jalonnaient le *dromos,* deux des lions qui précédaient le pylône d'entrée, la très belle statue en calcaire du taureau Apis trouvée dans une chapelle de la rampe qui descendait vers les souterrains, ainsi que la statue du dieu Bés, découverte, elle, dans la cour du temple de Nectanebo au début de cette même rampe. Les montants de la porte qui ouvrait sur les grands souterrains, couverts d'inscriptions démotiques, ont été remontés au rez-de-chaussée du musée où on peut les voir ainsi que les plus belles stèles épitaphes érigées au

Scribe accroupi (à gauche). Statue du dieu Bes (à droite).

Sphinx royal du Serapeum.

Serapeum à l'occasion de la mort de certains Apis. Dans une des chambres des petits souterrains, Mariette découvrit des bijoux ayant appartenu au prince Khâemouaset, fils de Ramsès II. Ces bijoux, notamment trois très beaux pectoraux en or cloisonné, sont exposés au premier étage dans la salle des Bijoux.

Tête en grès rouge de Didoufri.

Jusqu'à ces dernières années, lorsqu'une fouille était terminée, le Service des antiquités de l'Égypte procédait au partage des trouvailles. Après avoir retenu ce qu'elle voulait pour ses propres collections, l'Égypte accordait au fouilleur un certain nombre de monuments ou d'objets. C'est ainsi qu'au cours des années, le musée du Louvre — qui avait ses propres chantiers de fouilles ou participait aux travaux d'autres institutions — a pu s'enrichir de monuments importants tels que le sarcophage en calcaire de la IVe dynastie (2620-2500 av. J.-C.), du type dit «en façade de palais», trouvé au cours des fouilles d'Abou-Roasch, près du Caire, à proximité de la pyramide du pharaon Didoufri, d'où provient une très belle tête en grès rouge de ce roi qui est exposée dans la salle du Scribe; la statue assise de Sesostris III jeune provient des fouilles de Medamoud, un peu au nord de Louxor, et celle du chancelier Nakht, en bois peint, des fouilles d'Assiout en Moyenne Égypte

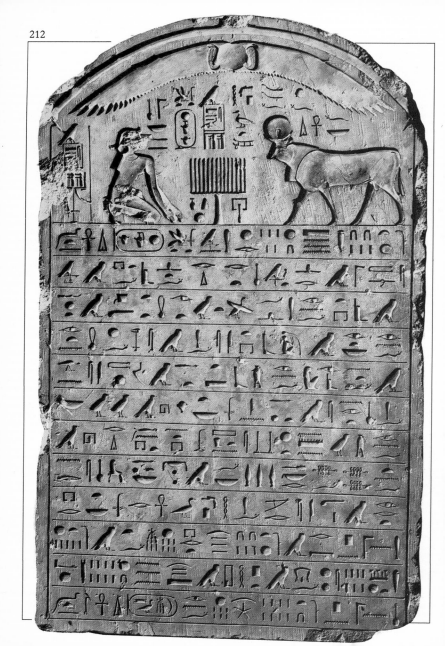

Pectoral en or cloisonné du prince Khâemouaset.

qui ont produit aussi les amusantes et belles porteuses d'offrandes exposées dans la salle dite du Moyen Empire au rez-de-chaussée ; le très beau trésor de Tôd, avec ses coupes en argent, a été trouvé dans quatre coffres en bronze enfouis dans les fondations du temple de Montou au cours des fouilles organisées par le musée. Tôd se trouve un peu au sud de Louxor, et le trésor date d'Amenemhat II (vers 1900 av. J.-C.).

Stèle épitaphe du Serapeum.

Il comprenait une grande quantité d'objets d'orfèvrerie, des lingots d'or et d'argent, du lapis-lazuli. Il fut partagé entre le musée du Caire et le Louvre.

Il serait trop long d'énumérer tous les objets que les recherches des Archéologues au secours de l'Égypte ont ainsi fait entrer au musée. En les admirant au cours d'une visite, on peut ainsi, pas à pas, revivre la lente progression qui, d'une ignorance presque complète, a permis de retrouver l'Égypte des pharaons.

J. Vercoutter

Période prédynastique

6000-3200 av. J.C.

Pas de constructions mais de nombreux outils de pierre et des poteries décorées.

Période archaïque ou «thinite»

3200-2700

Iʳᵉ dynastie : 3200-2850. Sept pharaons de Ménès (Narmer) à Ka.	Grands tombeaux de briques à Hierakonpolis, Abydos et Saqqarah. Développement de l'écriture.
IIᵉ dynastie : 2850-2700. Huit pharaons de Hotepsekhemoui à Khasekhemoui.	

Ancien Empire ou empire memphite

2700-2200 environ

IIIᵉ dynastie : 2700-2620. Cinq rois de Neterikhet-Djéser à Houni	Début de l'architecture de pierre. Complexe de la pyramide à degrés de Djéser à Saqqarah.
IVᵉ dynastie : 2620-2500. Six ou sept pharaons de Snéfrou à Skepseskaf dont Chéops, Chéphren et Mykérinos.	Grandes pyramides et complexe funéraire avec : temple de la Vallée, chaussée conduisant au temple funéraire accolé à la pyramide-pyramide.
Vᵉ dynastie : 2500-2350. Neuf pharaons d'Ouserkaf à Ounas. Les plus connus sont Sahouré et Djédkaré-Isesi.	Temples solaires royaux à obélisque construit et autel monumental. «Mastabas» décorés pour hauts fonctionnaires.
VIᵉ dynastie : 2350-2180. Sept rois de Téti Iᵉʳ à une reine Nitocris. Pépi Iᵉʳ et II appartiennent à cette dynastie. Pépi II meurt centenaire.	Développement des inscriptions dans les pyramides (textes des pyramides). Tombes princières en province.

Première période intermédiaire

2180-2060 environ

Époque d'anarchie suivie d'un temps où l'Égypte est gouvernée par des dynasties parallèles, l'une dans le Nord, l'autre dans le Sud.	
VIIᵉ dynastie : Sans doute fictive. Manéthon lui attribue 70 rois ayant régné soixante-dix jours.	Pas de monuments connus.
VIIIᵉ dynastie : 2180-2160. Gouverne à Memphis, compte, selon les sources de 8 à 27 souverains dont les noms sont incertains, voire inconnus.	Peu de monuments en dehors de la pyramide d'Ibi à Saqqarah.
IXᵉ-Xᵉ dynastie : 2160-2040. **Nord.** A Hérakléopolis près du Fayoum. Plus de six pharaons dont trois Khéti.	
XIᵉ dynastie : 2160-2060. **Sud.** A Thèbes : trois pharaons Antef.	Tombes creusées dans la falaise thébaine.

Moyen Empire ou Premier Empire thébain

2060-1785

Fin de la XIᵉ dynastie : 2060-2000. Trois Mentouhotep, le premier réunifie l'Égypte en 2040.	Temple funéraire de Mentouhotep à Deir-el-Bahari.
XIIᵉ dynastie : 2000-1780. Sept pharaons s'appelant Amenhemat ou Sésostris. La dynastie se termine par le règne d'une femme, Sébeknéferouré.	Le labyrinthe à Harvara. Chapelle de Sésostris à Karnak. Grandes forteresses entre la 1ʳᵉ et la 2ᵉ cataracte en Nubie. Statuaire royale.

Deuxième période intermédiaire		Nouvel Empire ou Deuxième Empire thébain	
1785-1580		1580-1090	
Époque d'instabilité politique très mal connue, caractérisée par une invasion d'Asiatiques, les Hyksôs, qui s'emparent du pouvoir.		**XVIIIe dynastie :** 1580-1314. Quatorze souverains depuis Ahmosis jusqu'à Horemheb ; quatre Thoutmosis ; quatre Aménophis. C'est à cette dynastie qu'appartiennent la reine Hatshepsout, Akhenaton (Aménophis IV) et Toutânkhamon.	Début de la construction du grand temple d'Amon à Karnak. Temples de Louqsor et de Deir-el-Bahari. Colosses de Memnon. Tombes de la vallée des Rois, notamment celle de Toutânkhamon.
XIIIe et XIVe dynasties : 1785-1680. On connaît les noms de quelque quarante pharaons dont plusieurs Sebekhotep. Certains d'entre eux ont dû régner parallèlement dans le Nord, le Centre et le Sud de l'Égypte. A partir de 1730, ces rois sont de simples vassaux des pharaons Hyksôs.	Pas de monuments connus en dehors de nombreuses stèles et statues.		Tombes, stèles et statues de Tell-el-Amarna (Néfertiti).
XVe et XVIe dynasties Hyksôs : 1730-1580. La XVIe dynastie dite des «Petits Hyksôs» n'est connue que dans le delta oriental. Les «Grands Hyksôs» comptent cinq pharaons dont un Khyan et deux Apopi.	Pas de grands monuments mais des statues et de nombreux scarabées.	**XIXe dynastie :** 1314-1200. Neuf pharaons, les Ramessides, avec Ramsès Ier et II, et Séthi Ier et II.	Temple de Karnak. Obélisques et colosses de Louqsor. A Thèbes, Ramesseum. Grandes tombes de la vallée des Rois et de la vallée des Reines. Temples d'Abou-Simbel en Nubie et temple d'Abydos.
XVIIe dynastie : 1680-1580. Quatorze souverains gouvernent Thèbes et sa région. Ils sont vassaux des Hyksôs. Les trois derniers Taâ Ier, Taâ II et Kamosis commencent la lutte contre les Hyksôs du Nord.	Tombes de Thèbes, dont celle de Sequenenré Taâ II et de sa femme, au riche mobilier funéraire.	**XXe dynastie :** 1200-1085. Dix souverains tous du nom de Ramsès (de III à XI), sauf le premier Sethnakht.	Medinet Abou. Sanctuaires et temples à Karnak et à Louqsor.

Pyramide à degrés de Saqqarah (IIIe dynastie).

Troisième période intermédiaire
1085-715

Époque confuse du point de vue politique : L'Égypte est divisée de fait entre le Nord, où règnent les pharaons «tanites», et le Sud sous l'autorité des grands prêtres d'Amon.	
XXI⁰ dynastie : 1085-950. A Tanis, Smendès, Psousennès I⁰ʳ et II. A Thèbes, Hérihor et Pinedjem.	Peu d'activités artistiques.
XXII⁰ et XXIII⁰ dynasties (libyennes) : 950-730. Neuf pharaons : Sheshonq (de I à V), Osorkon (de I à IV), Takelot (de I à III).	Tombes royales de Tanis. Porte monumentale d'Amon.
XIV⁰ dynastie : 730-715. Fondée à Saïs par Tefnakht, à qui succède Bocchoris.	

Renaissance éthiopienne et saïte
750-525

XXV⁰ dynastie : 750-656. Éthiopienne avec Piankhi (Peye), Chabaka et Taharka.	Monuments de Napata au Gebel Barkal.
XXVI⁰ dynastie : 663-525. Saïte. Psammétique (de I à III), Néchao, Apriès et Amasis.	Art archaïsant copiant les modèles de l'Ancien et du Moyen Empire. Sérapeum de Memphis.
XXVII⁰ dynastie : Pharaons perses, Cambyse, Darius, Xerxès et Artaxerxès.	Embellissement du Sérapeum de Memphis.

Dernières dynasties égyptiennes
404-341

XXVIII⁰ dynastie : 404-398. Un seul pharaon, Amyrtée.	
XXIX⁰ dynastie : 398-378. Mendésienne. Cinq souverains dont deux Nephéritis ; Psammouthis et Achoris.	
XXX⁰ dynastie : 378-341. Fondée par Nectanébo I⁰ʳ à Sebennytos. Trois pharaons : Nectanébo I⁰ʳ et II, Téos.	

Seconde domination perse
341-333

Trois souverains perses gouvernent l'Égypte : Artaxerxès III, Arsès et Darius III.

Égypte ptolémaïque
330-30

L'Égypte est gouvernée par des pharaons parlant grec, les Ptolémées (de I à XIII), et par leurs femmes Cléopâtre et Arsinoé.	Construction ou reconstruction de très nombreux temples à Denderah, Edfou, Kom-Ombo et Philae.

Égypte romaine et byzantine
30 av. J.C.-639 apr. J.C.

Conquête de l'Égypte par Octave en 30 av. J.C., mais l'Égypte est en fait un protectorat romain depuis 59 av. J.C. En 639, les Arabes prennent l'Égypte.	Jusqu'en 395 de notre ère, poursuite de l'entretien et de la construction de temples dans le style égyptien par les empereurs romains. Fermeture du temple d'Isis à Philae en 550.

Abréviations : h : haut ; b : bas ; m : milieu ; g : gauche ; d : droite.

REMERCIEMENTS

Nous remercions les personnes et les organismes suivants pour l'aide qu'ils nous ont apportée dans la réalisation de cet ouvrage: Mme Abilès et M. Degardin, bibliothécaires au cabinet d'égyptologie du Collège de France; M. Yoyotte, du centre Golenischeff; Francois Delebecque, photographe. Les publications: l'Histoire, Histoire et Archéologie, Science et Avenir, Valeurs actuelles, les éditions Balland, Casterman, Dargaud, la Découverte, Éditions du Lombard, Entente, Sindbad, l'agence Sygma.

Table des matières